LES CONTES
INTERDITS

D0388747

LE PETIT
CHAPERON
ROUGE

SONIA ALAIN

ADA
éditions

Éditeur : François Doucet
Révision éditoriale : Simon Rousseau
Révision linguistique : Féminin pluriel
Correction d'épreuves : Nancy Coulombe, Émilie Leroux
Conception de la couverture : Mathieu C. Dandurand
Photo de la couverture : © Getty images
Mise en pages : Sébastien Michaud
ISBN papier 978-2-89786-410-1
ISBN PDF numérique 978-2-89786-411-8
ISBN ePub 978-2-89786-412-5
Première impression : 2018
Dépôt légal : 2018
Bibliothèque et Archives nationales du Québec
Bibliothèque et Archives nationales du Canada

Éditions AdA Inc.
1385, boul. Lionel-Boulet
Varennes (Québec) J3X 1P7, Canada
Téléphone : 450 929-0296
Télécopieur : 450 929-0220
www.ada-inc.com
info@ada-inc.com

Diffusion
Canada :   Éditions AdA Inc.
France :   D.G. Diffusion
Z.I. des Bogues
31750 Escalquens — France
Téléphone : 05.61.00.09.99
Suisse :   Transat — 23.42.77.40
Belgique :   D.G. Diffusion — 05.61.00.09.99

Imprimé au Canada

Crédit d'impôt livres   Gestion SODEC
Financé par le gouvernement du Canada | Canada

Participation de la SODEC.
Nous reconnaissons l'aide financière du gouvernement du Canada par l'entremise du Fonds du livre du Canada (FLC) pour nos activités d'édition.
Gouvernement du Québec — Programme de crédit d'impôt pour l'édition de livres — Gestion SODEC.

Catalogage avant publication de Bibliothèque et Archives nationales du Québec et Bibliothèque et Archives Canada

Alain, Sonia, 1968-, auteur

Le petit chaperon rouge / Sonia Alain.
(Les contes interdits)
ISBN 978-2-89786-410-1
I. Titre. II. Collection : Contes interdits

PS8601.L18P47 2018   C843'.6   C2018-940095-1
PS9601.L18P47 2018

Pour Sylvain, mon époux, qui jour après jour me permet de poursuivre mon rêve, et qui m'accompagne dans mes moments de bonheur comme dans ceux plus sombres. Merci de si bien me comprendre, de faire partie de ma vie, et d'être mon phare dans la nuit...

Remerciements

En premier lieu, merci à mon époux Sylvain, qui fut le premier à m'aider à trouver des idées pour cette nouvelle version du *Petit Chaperon rouge*, un soir autour d'une table dans un petit restaurant du Saguenay. Je t'aime!

Je voudrais aussi remercier mes cinq bêta-lectrices qui continuent de m'épauler : Sylvianne Breton, Gwenaelle Lecomte, Sophie Blouin, Dominik Casavant et Jessica Gagnon-René. Vous formez une équipe du tonnerre. Deux mois pour écrire cette histoire, c'était tout un défi, mais j'y suis parvenue grâce à vous.

Merci également à Simon Rousseau, l'instigateur de cette collection, d'avoir pensé à moi, et aux Éditions AdA.

Et finalement, un énorme merci à vous, lecteurs et lectrices, qui plongerez dans cette version non censurée du *Petit Chaperon rouge...*

Note de l'auteur :

Ce roman est une adaptation contemporaine du conte *Le Petit Chaperon rouge,* de Charles Perrault et des frères Grimm.

Liste de musique

Le Roi Est Mort, Vive Le Roi – Enigma

MCMXC A.D. – Enigma

LSD : Love, Sensuality and Devotion – Enigma

The Fall of a Rebel Angel – Enigma

The Quantum Enigma – Enigma

« Ma Mère-grand, que vous avez de grandes dents ! C'est pour te manger. Et en disant ces mots, ce méchant Loup se jeta sur le Petit Chaperon rouge, et la mangea. »

— Le *Petit Chaperon rouge*, par Charles Perrault

Prologue

Malicia alluma les quatre cierges déposés sur la table. Un pour chacun des membres de sa famille décédés, afin d'apaiser leur esprit. Comme la majorité des Tsiganes, elle croyait au surnaturel, son univers occulté par les superstitions, les maléfices et la bonne fortune. Les traditions de ses proches remontaient à la nuit des temps, tout comme ses dons de divination.

En cette soirée de la Toussaint, alors qu'elle se préparait à dresser le couvert pour le repas dédié à la mémoire des morts, une ombre obscure flotta au-dessus d'elle. D'emblée, elle fut saisie d'un pressentiment funeste. Dans le coin le plus sombre de sa cabane de bois rond, une silhouette environnée de noirceur, la bouche grande ouverte sur un cri de terreur muet, semblait vouloir la prévenir. Une main glaciale étreignit son cœur.

Alors qu'elle avançait à pas mesurés vers la forme floue, un poing puissant tambourinant à sa porte la fit sursauter. Un frisson la parcourut à l'instant où la température de la pièce chutait de plusieurs degrés. Son regard, qui avait momentanément dévié, revint vers l'endroit où se tenait le spectre. Celui-ci s'était évaporé sans laisser de traces, hormis les battements erratiques de son cœur qui martelaient sa poitrine à coups redoublés. Le courant d'air froid qui l'avait transpercé l'espace d'un instant s'était dissipé. Le silence pesant qui l'environnait fut de nouveau perturbé par une seconde salve de coups.

Comme dans un état second, elle s'approcha de l'entrée, puis ouvrit la porte de bois massif. Sur le perron se trouvaient deux policiers, ainsi qu'une femme à l'allure rigide qui se tenait en retrait, derrière eux. Cette dernière portait un petit paquet emmailloté dans ses bras.

— Vous êtes Malicia Stojka? s'informa le plus vieux des deux agents.

— Oui, souffla-t-elle en détaillant tour à tour les trois inconnus.

— Pouvons-nous entrer? demanda le policier.

Malicia pâlit, mais demeura néanmoins immobile, devinant d'instinct que les deux hommes étaient porteurs de mauvaises nouvelles.

— Ne voudriez-vous pas vous asseoir? insista le second avec sollicitude.

Elle secoua la tête, nullement désireuse de les faire pénétrer dans sa maison. Plus que jamais, elle était sur la défensive. Ne souhaitant pas éterniser davantage cette situation inconfortable, le plus jeune lança un coup d'œil hésitant à son collègue avant de parler.

— Nous sommes désolés, madame Stojka, de vous apprendre le décès de votre fille Lolita.

Sous le coup de l'émotion, Malicia se raccrocha au chambranle pour ne pas s'effondrer. Toute la journée, elle avait pressenti la venue d'un malheur. Elle savait que sa destinée en serait chamboulée à tout jamais, que suite à cet événement désastreux, son propre sort serait scellé. En revanche, elle avait tout ignoré des tenants de cette catastrophe. Même ses dons de divination ne lui avaient été d'aucun secours lorsqu'elle avait tenté de consulter les feuilles de thé.

— Madame Stojka, insista le policier face à son impassibilité.

Malicia sortit de sa torpeur, son regard voilé par une souffrance indescriptible. Elle aspirait à parler, mais les mots demeurèrent coincés dans sa gorge. La prenant en pitié, le plus jeune des agents s'empara de l'une de ses mains gelées.

— Désirez-vous vous asseoir ? lui demanda-t-il avec plus de douceur.

Malicia secoua la tête. Elle ne souhaitait pas prolonger cet entretien inutilement. Elle voulait qu'on la laisse tranquille, afin qu'elle puisse pleurer la disparition de son enfant. Même si Lolita avait rejeté jadis leurs valeurs tsiganes, qu'elle s'était exilée dans un trou perdu pour travailler dans une boîte sordide où elle exhibait ses charmes sous l'œil lubrique de pervers, elle n'en demeurait pas moins sa petite fille chérie. Le fait qu'elle avait poussé l'outrage en vendant son corps au plus offrant n'y avait rien changé. Que s'était-il passé ? Il y avait si longtemps qu'elle ne l'avait pas revue… Deux ans, si sa mémoire était bonne.

— Que lui est-il arrivé ? parvint-elle à demander d'une voix chevrotante.

— Elle s'est brisé la nuque après avoir déboulé dans un escalier, déclara froidement le plus vieux des hommes. Sa dépouille a été retrouvée au petit matin, au pied des marches, par des danseuses nues du *night-club* où elle travaillait. Une analyse a montré un taux élevé d'alcool dans son sang, à la limite de l'intoxication.

Il haussa les épaules avec fatalisme, comme s'il s'agissait d'un incident banal et prévisible.

— Elle a sûrement perdu l'équilibre, ce qui ne serait pas surprenant étant donné son état, termina-t-il avec un dédain évident.

Malicia devina aussitôt qu'il se préoccupait peu du sort d'une prostituée. Si elle n'avait pas été à ce point bouleversée, Malicia aurait volontiers jeté une malédiction sur sa tête, mais il était malsain de s'exécuter dans un tel état d'esprit. Dans quelques jours, elle serait plus apte à y voir clair, à procéder au rituel selon les règles de l'art.

— Nous aurions besoin que vous veniez identifier votre fille à la morgue et chercher ses effets personnels, déclara le plus jeune avec empathie.

— Ne l'a-t-elle pas déjà été ? s'informa-t-elle d'une voix cassée.

— Oui, par ses collègues. Toutefois, nous préférons avoir votre confirmation.

Son air embarrassé montrait qu'il était mal à l'aise, s'excusant d'avance de lui imposer une épreuve aussi accablante. Malicia en fut touchée. Depuis que ses parents avaient fui la France pour s'établir au Canada lors de la Deuxième Guerre mondiale, peu de gens avaient fait preuve d'une telle déférence envers sa famille. Toujours, ils avaient détonné du reste de leur entourage. Elle-même, depuis son adolescence, avait été considérée comme une excentrique, à la manière d'un oiseau de malheur dont il fallait éviter de croiser la route. Ce qui lui allait très bien, au demeurant. De toute façon, elle vivait au cœur de la forêt, à l'écart de toute civilisation.

Retrouvant peu à peu son aplomb, elle chercha un moyen de mettre un terme à cette conversation. Nul besoin des explications pitoyables de ces agents, elle s'efforcerait de reprendre contact avec l'esprit de sa fille. Elle refusait de croire que sa petite soit morte parce qu'elle était trop saoule pour se tenir sur ses jambes… Non, pas sa Lolita. Au regard de ces informations, il lui apparaissait évident dès lors que le spectre qui l'avait visité quelques minutes plus tôt devait être cette dernière, et qu'elle avait voulu lui transmettre un message.

Malicia s'apprêtait à donner congé aux policiers lorsqu'un vagissement perça soudain le silence pesant qui venait de s'installer. La femme, demeurée en retrait jusque-là, s'avança avec son paquet entre les bras. Les deux hommes s'écartèrent pour la laisser passer.

— Je me présente, miss Prescot. Je suis travailleuse sociale pour le Centre jeunesse de Québec. Votre fille Lolita avait un enfant. La petite avait été laissée chez la voisine, déclara-t-elle avec un mépris évident.

Malicia tiqua, puis battit des paupières comme pour chercher à se réveiller d'un cauchemar. Elle ignorait l'existence de ce bambin. Comment Lolita avait-elle pu lui cacher cette vie si précieuse? Un trou se forma dans sa poitrine, alors qu'une émotion vive l'envahissait. Indifférente à son état, la femme lui tendit le bébé d'un mouvement brusque; à croire qu'elle tentait de se débarrasser d'un colis encombrant.

— Vous êtes la seule famille qui lui reste. Tout ce qu'elle possède se trouve dans ce sac.

Ce faisant, elle laissa choir sur le sol un fourre-tout crasseux.

— Nous y avons ajouté une préparation en poudre de lait pour nourrisson, ainsi qu'un paquet de couches. Il vous incombera de vous procurer ce qui manque. Une collègue viendra évaluer plus attentivement la situation dans quelques jours.

Malicia serra d'un geste protecteur la frêle vie contre sa poitrine. L'enfant poussa un soupir de bien-être avant de se rendormir. Le regard que leva alors Malicia vers la femme fut flamboyant, empli d'une rage latente. Deux feux parurent s'allumer dans ses prunelles, prêts à foudroyer l'intruse. La travailleuse sociale recula d'un pas, perdant de son flegme.

— Elle s'appelle... Angelika... bredouilla-t-elle. C'est du moins ce que révèle le certificat de naissance que nous avons trouvé sur place.

De plus en plus agitée, elle chercha un appui auprès des agents, mais ceux-ci semblaient attendre qu'elle termine avant de se retirer.

— Elle est… Elle est âgée de trois mois.

Malicia, qui était demeurée immobile, continuait de la fixer avec une expression assassine. Simultanément, miss Prescot crut discerner un mouvement en périphérie de son regard ; pourtant, il n'y avait personne d'autre avec eux. Un grincement parvint jusqu'à ses oreilles, comme si quelqu'un griffait un tableau noir de ses ongles. Une sueur froide s'écoula entre ses omoplates. D'instinct, elle se rapprocha du plus vieux des hommes.

— C'est la voisine qui a alerté le 9-1-1, se dépêcha d'expliquer l'infortunée. Cela faisait plus de 24 heures que la petite était chez elle, sans que la mère donne le moindre signe de vie.

En réponse à ses propos, un objet fut lancé par une main invisible à travers la pièce, mais elle en fut la seule témoin. Elle poussa un petit cri de terreur qui lui valut un regard incrédule du plus jeune des policiers.

Affolée, elle recula prestement, manquant de peu de débouler les marches de l'escalier derrière elle. Se rattrapant de justesse, elle courut jusqu'à la voiture pour y trouver refuge. Les deux hommes froncèrent les sourcils de concert, ne comprenant rien à cette attitude pour le moins inusité. Retrouvant ses esprits le premier, le plus âgé hocha de manière subtile la tête en signe d'au revoir, avant de se diriger à son tour vers son véhicule à grandes enjambées. Se tournant vers le second, Malicia le remercia pour sa sollicitude, puis referma la porte.

— Angelika, murmura-t-elle en dégageant le visage de la petite avec douceur. Bienvenue chez toi…

CHAPITRE 1

Il était une fois…

Neuf ans plus tard

Angelika observait avec fascination sa grand-mère préparer le repas qui serait donné en cette soirée particulière de la Toussaint. Cette fois-ci, il était prévu que ce soit elle qui allume le cierge réservé à sa maman décédée.

À cette pensée, une ombre voila son regard. Tout ce qu'elle savait au sujet de sa mère, c'était que cette dernière était morte lorsqu'elle n'était encore qu'un bébé, et que c'était la raison pour laquelle les services sociaux l'avaient confiée à son aïeule.

D'une certaine façon, elle ne s'en désolait point. Sa grand-mère était toute sa vie. Auprès d'elle, Angelika avait développé le même respect pour son environnement et tous les êtres vivants qui y habitaient, du simple papillon au plus vorace des prédateurs.

Un sourire amusé étira ses lèvres en portant son regard sur le loup couché en boule, près de l'âtre. Elle l'avait recueilli deux ans auparavant, alors qu'il n'était qu'un louveteau. Il avait été abandonné par sa maman, tout comme elle. Sans doute à cause de sa patte arrière en mauvais état. Grand-mère disait qu'une telle infirmité ne pardonnait pas, dans le règne animal. Il était faible et ne serait pas parvenu à courir après ses proies. Il serait mort de faim.

Cependant, grâce à ses bons soins, ce dernier avait repris des forces et de la vitalité. Son membre avait été redressé et guéri. Depuis, ils étaient inséparables. Un lien mystique les reliait l'un à l'autre ; invisible, mais bien réel.

— Angelika, tu rêvasses encore, ma *matriochka*[1], déclara Malicia avec une pointe de taquinerie dans la voix.

— Désolée, répondit la fillette en revenant vers elle.

Malicia lui caressa les cheveux avec tendresse. Cette enfant avait éclairé les ténèbres qui l'environnaient depuis le décès de Lolita. Par bonheur, la petite tenait plus d'elle que de sa mère. Elle ne remettait pas en question les histoires tsiganes ni les croyances qu'elle lui racontait, contrairement à Lolita. Angelika respectait les traditions de ses ancêtres. Elle avait créé un lien puissant avec son loup. De plus, elle avait développé son pouvoir personnel, celui qui l'aiderait à communiquer avec les esprits plus tard. Elle était libre de toute entrave matérielle, ne faisait qu'un avec la nature. Le moment venu, elle saurait faire face à son destin.

Une chape de plomb s'abattit sur les épaules de Malicia. Des événements sinistres se préparaient dans l'ombre. Leur demeure serait, avant le crépuscule, le théâtre d'horreurs indescriptibles. Elle espérait avoir outillé suffisamment sa petite fille afin qu'elle survive, qu'elle parvienne à surmonter les épreuves qui l'attendaient. Quant à elle, sa route se terminerait dans cet endroit qu'elle chérissait tant. Aucune échappatoire n'était possible.

Désireuse de cacher son trouble, elle se dirigea vers sa chambre pour enfiler sa jupe traditionnelle d'un rouge sang et

---

1. *Matriochka* : Poupées russes emboîtables.

prendre son foulard afin de recouvrir ses cheveux. Elle songea à la cape qu'elle avait soigneusement emballée la veille avec une lettre, ainsi que le fruit de ses recherches effectuées au cours des dernières années. Le paquet avait été déposé dans un coffre chez la firme Bouvier et associés, sous la garde de Maître Tremblay, avec un mot expliquant ses ultimes volontés. Ce n'est qu'à ses 18 ans qu'Angelika entrerait en possession de ce colis étrange qui risquait de changer sa vie.

Malicia poussa un soupir empli de chagrin. Elle aurait voulu épargner cette lourde épreuve à sa petite fille, bénéficier de plus de temps pour mieux la préparer, mais le sort en avait décidé autrement.

Elle avait ouvert une boîte de Pandore. Ce soir, son châtiment serait brutal et sanguinaire. Lolita l'en avait prévenue de l'Au-delà par le biais de son jeu de tarot. Nul besoin d'attirail occulte fantaisiste ou de rituels complexes, ses cartes avaient suffi. Devant le danger imminent, il lui fallut trouver un moyen de mettre Angelika hors d'atteinte. Sa petite fille ne devait pas tomber entre les mains de ces monstres, sous aucun prétexte.

— Tu es ce que j'ai de plus précieux, *matriochka*, ne l'oublie pas! déclara-t-elle avec un trémolo dans la voix. Du sang tsigane coule dans tes veines. Sois-en fière!

Sensible à son humeur, cette dernière releva les yeux, son minois chiffonné par l'incertitude. Sa grand-mère semblait triste, tout à coup. Se méprenant sur la raison de son désarroi, elle porta une main à sa joue ridée.

— Grand-mère, si cela te rend malheureuse, je peux te laisser allumer la bougie de maman lors de la cérémonie aux défunts. Ce n'est pas grave si ce n'est pas moi qui le fais.

— Oh, *matriochka*! Tu as un cœur énorme! Trop, peut-être, pour ta propre sauvegarde. Tant de cruauté sillonne ce monde…

Un jour ou l'autre, il te faudra t'endurcir, si tu ne souhaites pas être dévorée par les loups féroces qui rôdent dans la nuit.

Angelika fronça les sourcils, perplexe. Elle n'aimait pas que son aïeule fasse référence aux loups de cette manière vindicative. Le sien n'avait rien de malveillant à ses yeux ; au contraire, il était son seul ami, veillant sur elle lors de leurs escapades dans la forêt.

Comprenant son dilemme, Malicia caressa à nouveau ses cheveux, le regard lointain. L'avenir de la petite était incertain, enténébré.

— Ton loup gris est uni à toi par un lien puissant et intrinsèque, souviens-t'en quand tout espoir t'aura déserté. Le moment venu, il saura te protéger.

— Pourquoi dis-tu tout ça ? Tu me fais peur ! déclara Angelika en secouant la tête avec énergie.

Malicia la sentait frissonner entre ses bras. Son cœur saigna à la vue de la terreur qui voilait à présent ses prunelles et de ses lèvres tremblantes.

— Je suis désolée, *matriochka* ! Ne fais pas attention à mes paroles. Cette soirée me rend mélancolique, c'est tout…

Ne désirant pas inquiéter sa petite fille davantage, elle s'efforça de plaquer un sourire faux sur son visage.

— Sors, maintenant ! J'ai besoin que tu cueilles pour moi des champignons dans la forêt, renchérit Malicia d'un ton qui se voulait plus léger pour donner le change. Rapporte-moi des pieds bleus pour préparer le plat de ce soir.

— Mais… grand-mère…, commença Angelika, hésitante.

— C'est le repas traditionnel réservé à la mémoire de nos défunts. C'est important, la coupa Malicia avec douceur. Nous devons les honorer !

Angelika ne souhaitait pas quitter son aïeule, alors qu'elle semblait si bizarre. Cependant, la coutume ne pouvait être ignorée. Il était primordial de la respecter.

— D'accord, murmura-t-elle dans un soupir contraignant.

— Tu es une brave petite, la remercia Malicia en caressant ses boucles d'un noir aussi profond que la nuit. Allez! Et ne reviens pas avant d'avoir rempli un plein panier. Ne choisis que les plus jeunes pousses à la chair violacée et ferme, ceux qui forment un rond de sorcières.

Angelika tressaillit. En temps normal, elle cueillait les champignons qui poussaient sur les végétaux en décomposition un peu partout dans la forêt, jamais dans ce genre d'endroit. C'étaient des lieux reconnus pour être le point de ralliement d'êtres surnaturels. Elle ignorait si ces fables étaient véridiques, mais elle préférait ne pas le vérifier par elle-même.

— Pourquoi ceux-ci? ne put-elle s'empêcher de demander d'une voix haut perchée.

— Leur pouvoir est infini, ce qui est idéal pour notre rituel, répondit Malicia d'un ton qui ne permettait aucune contestation supplémentaire.

En réalité, il n'y avait ni différence entre les champignons ni magie associée aux ronds de sorcières. C'était juste que ceux-ci poussaient dans un endroit en retrait et isolé, hors des sentiers battus de la forêt. Elle espérait protéger Angelika en l'éloignant le plus possible de leur maison.

— Assez discuté! déclara-t-elle avec plus d'insistance. Cours me chercher ce dont j'ai besoin avant que la nuit tombe.

Angelika hésita quelques secondes avant de se résigner à obtempérer. Rien ne servait de tenir tête à son aïeule, car elle finissait toujours par avoir gain de cause. C'était immanquable.

Vaincue, elle se dirigea d'un pas traînant vers le battant tout en rouspétant pour elle-même.

Parvenue à la hauteur de la sortie, elle remarqua à brûle-pourpoint que la cape préférée en velours rouge de sa grand-mère n'était pas suspendue à son crochet. Pourtant, celle-ci ne s'en séparait jamais, s'en drapant à chacune de leur randonnée dans les bois. Malicia suivit la direction de son regard, la vit hésiter.

— Grand-mère...

— Ça suffit! la coupa Malicia. La nuit recouvrira la forêt dans une heure, il te reste peu de temps.

Angelika se renfrogna davantage. Son aïeule n'avait pas l'habitude de la gronder de la sorte. Fallait-il qu'elle soit dans de mauvaises dispositions, pour agir ainsi? Elle siffla son loup pour qu'il se joigne à elle, puis enfila sa veste rouge. Dès qu'ils eurent franchi le seuil de la porte côte à côte, Malicia referma le battant avec lenteur, puis appuya son front sur le panneau, une boule dans la gorge. Un frisson glacial remonta le long de sa colonne vertébrale. Un souffle frôla sa nuque au même instant, lui donnant la chair de poule. Elle sut dès lors qu'elle n'était plus seule; l'esprit de Lolita l'accompagnerait dans sa descente en enfer...

• • •

Angelika avançait d'un bon pas sur le sentier du sous-bois. Elle connaissait bien cette partie de la forêt pour l'avoir explorée à maintes occasions. Chaque arbre, ruisseau ou rocher lui était familier, comme de vieux amis l'ayant suivie toute son enfance. Elle avait toujours éprouvé une certaine quiétude en se promenant parmi les sapins et les épinettes, sauf que cette fois-ci, c'était différent. Elle n'arrivait pas à se départir de la sensation désagréable qu'une présence malfaisante rôdait dans les environs.

Elle percevait le danger dans les moindres fibres de son corps. Le cri d'un huard devint soudain menaçant, les branches crochues des bouleaux blancs apparurent sous des apparences plus hostiles. Il n'y avait plus rien d'accueillant ni d'innocent autour d'elle, comme si les lieux étaient pervertis, sur le point de la transformer. Apeurée, elle se laissa choir à genoux sur la terre humide, puis enfouit son visage dans la fourrure réconfortante de son loup gris. Immobile, celui-ci secoua le bout de sa queue noire tout en humant l'air de son museau effilé, ses oreilles arrondies à l'affût du moindre bruit.

Angelika se tendit. Elle avait l'impression d'être observée. Tétanisée, le cœur étreint dans un étau, elle inséra ses doigts dans le pelage et s'y accrocha avec énergie. Un héron les survola, claquant l'air de ses longues ailes. Elle sursauta, arrachant un gémissement inquiet à son animal. D'un coup de langue, celui-ci lui lécha la joue afin de la rassurer. Il ne semblait percevoir aucun problème dans les environs. À la place, il demeurait calme, le corps détendu, plus curieux que soucieux. Se fiant à son instinct, elle se releva en vacillant.

— Viens, lança-t-elle à son compagnon en s'engageant sous le couvert des arbres.

Il lui fallait quitter les sentiers battus pour atteindre la clairière où poussait un rond de sorcières de pieds bleus. Plus d'une trentaine de minutes s'étaient écoulées depuis son départ. Mieux valait faire vite, si elle ne souhaitait pas se faire prendre par la noirceur. La nuit dans cette forêt revêtait un aspect qui la terrorisait; comme si tout à coup, les chemins familiers devenaient des labyrinthes sans fin, d'où il était impossible de s'extirper. À croire que ses profondeurs renfermaient d'obscurs secrets.

Elle déglutit avec peine en levant les yeux vers le ciel. Les derniers rayons du soleil filtraient entre les feuilles multicolores qui s'accrochaient encore aux branches dans une vaine tentative de survivre à l'automne. Au loin, les cris des bernaches qui retournaient vers le sud résonnaient dans ses oreilles. Agrippant avec plus de force l'anse de son panier d'osier, elle poursuivit sa route en se mordant l'intérieur de la joue.

• • •

Malicia se figea en percevant les nombreux bruits de pas à l'extérieur. Ceux-ci se rapprochaient, car des souliers crissaient dans le gravier du sentier. Elle avait entendu l'arrivée de deux voitures et d'une camionnette quelques secondes plus tôt.

Avant qu'elle ne puisse réagir, la porte fut défoncée par un colosse au crâne chauve, bâti comme un bœuf. Elle poussa un cri d'effroi malgré elle en détaillant la mine funeste des six individus qui se dressaient devant elle. Un sentiment de panique la gagna. Elle pouvait deviner l'issue qui l'attendait au bout du chemin et faire preuve de courage, il n'en demeurait pas moins qu'elle était humaine. Que pouvait-elle contre ces êtres barbares ? Son sang se figea dans ses veines, ses muscles se tétanisèrent.

Un rictus sardonique étira la bouche de l'inconnu habillé d'un complet de grande marque. Son regard coupant comme une lame affûtée la parcourut avec lenteur, avant de se fixer sur ses prunelles.

— Pauvre vieille folle ! cracha-t-il avec un dédain évident. Que croyais-tu ?

La tension qui habitait Malicia était palpable. Un second étranger, vêtu d'une veste de cuir, s'avança à un pas d'elle, les doigts de sa main droite insérés dans un poing américain en métal. Avant même qu'elle ne puisse réagir, il la frappa avec une violence inouïe à la tempe, faisant éclater la peau fragile à cet endroit. Une douleur fulgurante traversa son crâne. Projetée vers l'arrière par la virulence du choc, elle trébucha sur une chaise, puis s'affala sur la table de cuisine dans un bruit de vaisselle cassée. Un troisième homme la redressa avec rudesse en l'agrippant par le cou. Un poignard s'enfonça dans son ventre, la prenant par surprise, et lui fouilla les entrailles sans aucune pitié. Un cri ne parvint jamais à franchir ses lèvres, étouffé par une large paume gantée. Une souffrance insupportable irradia dans ses tripes, lui coupant le souffle.

— Tu as fourré ton nez là où tu n'aurais pas dû, déclara son agresseur d'une voix teintée d'inflexions âpres. Tu nous as fait perdre une précieuse cargaison en attirant l'attention sur nous.

Malicia s'efforça de rester lucide, de ne pas se laisser submerger par la douleur qui engourdissait ses sens, tel un froid létal s'emparant lentement de chaque parcelle de son corps. Elle devait demeurer muette, ne rien leur révéler.

— Tu paieras pour cet affront.

Joignant le geste à la parole, son tortionnaire au blouson de cuir l'empoigna sauvagement par les cheveux pour la traîner jusqu'à une chaise. Il l'y poussa avec tant de brutalité que le meuble faillit se briser sous son poids. Le poignard enfoncé dans le ventre de Malicia fut retiré avec sadisme dans un chuintement lugubre, lui arrachant un hurlement d'agonie. Son cri percuta contre les murs de la maison, attisant les flammes dans l'âtre, sauf qu'aucun des protagonistes n'en eut conscience, excepté Malicia. Les esprits de sa famille se trouvaient désormais avec elle. Ils ne pouvaient rien faire pour atténuer son calvaire ni l'abréger, mais au moins, ils étaient présents pour la soutenir en ces heures sombres, et ce, jusqu'à la fin. Malicia y puisa le courage nécessaire pour ne pas flancher, malgré le brasier qui brûlait dans ses entrailles.

L'un des hommes la ligota pour l'empêcher de se défendre, lui faisant ressentir davantage tout le poids de son impuissance. Des coups continuèrent de pleuvoir sur son visage, fracassant des os fragiles dans un craquement sinistre. Un râle de martyre franchit ses lèvres fendues, puis un hurlement inhumain jaillit de sa gorge douloureuse lorsqu'une lame commença à l'écorcher vive. L'homme la dépouilla centimètre par centimètre de sa peau, semant des lambeaux de chair sanguinolents sur le sol.

— Où est l'enfant qui vit avec toi dans cette cabane? l'interrogea l'un de ses tortionnaires en s'emparant d'un tisonnier chauffé à blanc dans l'âtre du foyer.

Devant son silence, le métal fut apposé sur la plante de ses pieds avec barbarie, dévorant la chair jusqu'à l'os. Une odeur de cochon grillée satura l'air. Malicia fut prise de soubresauts violents. Plus rien n'existait autour d'elle, hormis la souffrance insoutenable qui la rongeait.

— La fillette ne doit pas être loin, déclara abruptement l'homme habillé de cuir en pointant un dessin entamé et des crayons de couleur sur la table du salon.

— Où est-elle? s'emporta celui qui portait un complet en se retournant vers elle, une veine palpitant à sa tempe.

La corde qui retenait toujours Malicia à sa chaise l'empêcha de choir sur le sol. Mais sa tête pendait vers l'avant, alors que les voix qui l'environnaient flottaient au-dessus d'elle, indistinctes les unes des autres. Elle avait dépassé un seuil critique, plus morte que vive.

— Où se trouve cette morveuse? hurla un troisième en la frappant de son poing fermé.

Du sang gicla à nouveau sur le parquet de bois, gouttes écarlates se noyant dans une marée poisseuse aux pieds de Malicia. Son esprit voguait à la dérive, maintenu à peine par un point d'ancrage fragile. Il suffirait de peu pour que la noirceur l'engloutisse à tout jamais. L'abîme l'appelait de son chant insidieux et trompeur. Les traits des hommes présents se durcirent davantage. Le cinquième, qui était demeuré jusque-là en retrait, s'empara de la corde de l'un des rideaux pour l'entourer autour du cou de Malicia.

— Il n'y a plus rien à tirer d'elle, décréta-t-il sans ambiguïté.

Le voile sombre qui s'était abattu sur l'aïeule s'épaissit, alors que sa poitrine brûlait de mille feux. Son corps fut secoué par des spasmes incontrôlables, ses poumons se contractèrent dans une veine tentative pour aspirer un souffle ténu. Puis, ses membres se raidirent avant que tout son être ne s'affaisse contre la chaise, flasque.

L'âme errante de Malicia fut dès lors environnée par le néant, libérée de ce calvaire.

— Préparez les chiens! ordonna l'homme en complet après avoir constaté le décès de la vieille folle.

Aussitôt, une meute de rottweilers fut descendue de la caisse de la camionnette. On fit passer sous leur museau une veste d'enfant récupérée dans la chambre d'Angelika. Leur flair exceptionnel en faisait des pisteurs de choix.

— Trouvez-la! mugit leur maître.

D'entrée de jeu, les bêtes s'élancèrent vers la forêt dans une série d'aboiements infernaux.

CHAPITRE 2

C'est pour mieux courir, mon enfant

Angelika venait de rejeter un pied bleu trop chargé d'eau lorsqu'un pincement dans sa poitrine lui arracha un gémissement ténu. Son loup redressa la tête en agitant les oreilles. Un grognement sourd roula dans sa gorge, l'inquiétant davantage.

Se levant d'un bond, elle fit basculer son panier sur le côté, renversant son contenu. Les champignons se répandirent sur le tapis de feuilles mortes qui jonchait le sol. Simultanément, des aboiements sinistres résonnèrent au loin, pareils à un coup de glas.

Soupçonnant qu'elle était en danger, elle pivota sur elle-même, affolée. Elle était incapable de déterminer d'où provenait le danger tant ses idées s'embrouillaient dans son esprit. Ses genoux tremblaient, menaçant de céder sous son poids. Elle était figée sur place, son champ de vision s'assombrissant comme si la nuit recouvrait soudain la forêt de son voile opaque. Elle avait chaud et froid tout à la fois, son pouls battait de manière erratique.

Un grognement parvint à peine à franchir le brouillard qui obscurcissait son âme. Il s'agissait de son loup. Lorsqu'il émit un hurlement strident, elle reprit contact avec la réalité en chancelant. Celui-ci la repoussait de son corps massif, l'incitant à se sauver. N'écoutant que son instinct de survie, elle s'obligea à fuir vers les profondeurs des boisés. Elle connaissait l'existence d'une grotte soustraite aux regards, derrière un amalgame de buissons. Elle pourrait y trouver refuge.

Toutefois, elle eut beau courir de toutes ses jambes, la meute enragée se rapprochait. Des branches basses la fouettaient au passage, laissant des traces rougeâtres sur ses bras. Des fougères dissimulant les aspérités du terrain la ralentissaient, menaçant de la faire trébucher à tout instant; c'est d'ailleurs ce qui se produisit lorsqu'elle buta contre une racine sortant de la terre. Elle se tordit la cheville, puis s'affala de tout son long dans un tapis d'aiguilles orange. Elle s'écorcha les coudes en émettant un cri perçant. Le couteau à lame pliante qu'elle utilisait pour cueillir les champignons glissa de sa poche, se perdant dans les brindilles. Elle s'empressa de le chercher avec frénésie.

— Grand-mère! hurla-t-elle.

Comme personne ne lui répondait, elle paniqua de plus belle. Elle était toute seule dans la forêt, avec son loup pour unique protecteur. Conscient de la menace qui planait sur eux, ce dernier saisit sa veste entre ses dents et tira dessus pour l'obliger à se relever. Le tissu se déchira dans un craquement sinistre. En gémissant, Angelika se redressa sur ses coudes à vif. La douleur éprouvée tordit les traits de son petit visage.

Les aboiements se rapprochaient, lui glaçant le sang, faisant remonter des frissons d'épouvante le long de son échine dorsale. Il n'y avait aucune échappatoire possible pour elle. Les créatures qui la pourchassaient la pistaient à l'odorat. Elle tourna la tête dans tous les sens, terrorisée. Elle devait trouver un moyen de s'en sortir, mais son cerveau refusait de fonctionner. De nouveaux sanglots secouèrent ses épaules frêles.

— GRAND-MÈRE !

Son appel désespéré se perdit dans l'étendue boisée, si bien qu'elle ressentit davantage tout le poids de sa précarité. Puis, une brise porta jusqu'à elle un parfum marqué de bête puante. Angelika plissa le nez par réflexe. Des feuilles mortes virevoltaient bizarrement autour d'elle, l'amenant à s'extirper de sa torpeur morbide. Elle se souvint alors des paroles de son aïeule : «Un jour ou l'autre, il te faudra t'endurcir...» Du coup, une force étrange l'obligea à se relever malgré la douleur lancinante qui vrillait dans sa cheville gauche. Elle essuya de son poing ses yeux débordant de larmes. L'image d'une moufette prit de l'ampleur dans son esprit. Comprenant soudain que c'était là son unique moyen de sauvegarde, elle fouilla dans sa mémoire pour se rappeler l'emplacement exact du repaire du petit mammifère.

Son loup gris grogna avec insistance, puis montra les dents, plus menaçant que jamais. En tournant la tête dans sa direction, elle entrevit à travers les branchages le pelage sombre d'un chien, suivi d'un deuxième dans son sillage. Les poils sur sa nuque se hérissèrent. Ils étaient beaucoup trop près, il lui serait impossible de leur échapper. Devinant sa détresse, son compagnon la fixa de ses prunelles dorées avant de se placer entre elle et les bêtes déchaînées.

Le premier colosse bondit sur le loup avec une puissance phénoménale, l'entraînant avec lui dans une série de tonneaux précipités. Des mâchoires tentèrent de s'écorcher dans la foulée en émettant des grognements sinistres. Le second chien profita de l'ouverture pour se jeter sur la petite. Angelika eut le réflexe de rouler sur elle-même pour éviter le plus gros de la masse musclée. Des griffes s'enfoncèrent dans la chair de sa cuisse droite. Angelika poussa un cri d'agonie qui fit réagir son loup. Au moment où le canidé s'apprêtait à refermer sa gueule mortelle sur le cou d'Angelika, son protecteur se dégagea de son assaillant et fonça sur l'ennemi avec une force démesurée, le propulsant à une bonne distance de l'enfant. La tête de l'animal percuta un tronc, freinant abruptement son élan. L'impact fut assez violent pour lui briser la nuque.

Entre le danger et Angelika, le loup recula, obligeant la petite à suivre le mouvement malgré la souffrance qui la taraudait. Elle bénéficiait d'un sursis inespéré et devait saisir sa chance. Un sursaut d'adrénaline fouetta son sang, lui faisant oublier momentanément celui qui ruisselait sur sa jambe et sa cheville, qui commençait à enfler. En boitillant, elle s'éloigna des lieux maudits pendant que son compagnon tenait en respect le deuxième.

Le liquide écarlate imbibait déjà le bas d'un blanc ivoire quand elle parvint enfin à rejoindre la souche qu'elle cherchait à atteindre à tout prix. Par bonheur, elle en était plus près qu'elle le croyait. À cette heure du jour, elle savait que la moufette se trouverait dans son repaire, ce qui était vital à son plan. Ses poumons étaient en feux, et un point sur le côté consumait le peu de force qu'il lui restait. Se laissant tomber lourdement au sol, elle se traîna sur la terre humide afin de s'insérer entre les racines de l'énorme tronc d'un arbre abattu jadis par la foudre. Elle s'empressa de s'y recroqueviller. Un mouvement sur sa droite lui apprit que son occupante s'était réveillée en sursaut. Effrayé, le mammifère souleva sa queue et l'aspergea de son parfum pestilentiel pour tenter de la repousser. Angelika eut juste le temps de protéger son visage de ses mains, l'espace restreint l'empêchant de bouger davantage. Son estomac se révulsa, prit de contractions involontaires. Au même moment, des glapissements parvinrent jusqu'à ses oreilles, lui arrachant un frisson. Des larmes silencieuses roulèrent sur ses joues à la pensée que son loup ait pu succomber à l'attaque.

Quant à la moufette, craignant que l'intruse refuse de dégager de son repaire, elle s'empressa de le quitter sans égard pour les tourments de la malheureuse enfant. À peine fit-elle quelques pas qu'elle se retrouva en présence d'un rottweiler, dont le pelage était ensanglanté. Saturé par l'odeur nauséabonde du petit mammifère, celui-ci s'en retourna en émettant un glapissement misérable. Confondu, il repartit vers son maître, sans jamais déceler la présence de sa proie, à un mètre de lui.

CHAPITRE 3

Elle est malade et affaiblie

Une semaine plus tard

Un couple de randonneurs s'adonnait à leur jogging matinal dans la réserve faunique des Laurentides, empruntant un parcours plus escarpé, peu utilisé en cette saison. Il était encore tôt, une légère brume tardait à s'évaporer de la forêt dense. L'air saturé d'odeurs boisées se cristallisait en fine buée de vapeur à chacune de leur expiration.

Courant à un bon rythme, ils appréciaient ce moment hors du temps, loin de l'agitation de la ville. La sérénité des lieux, tout comme l'ambiance sauvage de l'endroit, les fascinait. Rien n'aurait pu les préparer au choc qui les attendait.

La femme venait de sauter par-dessus une branche tombée au milieu du sentier quand son regard capta un morceau de tissu rouge, dissimulé derrière une épinette. D'emblée, elle saisit la manche de son compagnon pour le forcer à s'arrêter. Incertaine et en sueur, elle s'avança d'un pas prudent vers ce qui lui semblait être une silhouette inanimée. En apercevant le corps d'une fillette, un goût de bile aigre remonta dans sa gorge. Impossible de savoir si la petite était toujours en vie d'un simple coup d'œil.

En revanche, les égratignures sur les bras, ainsi que la zébrure profonde à sa cuisse étaient visibles, et des croûtes séchées marbraient sa peau maculée de terre. De plus, l'un de ses pieds déchaussés était ensanglanté et paraissait avoir doublé de volume. Ses vêtements étaient crasseux et en lambeaux.

Combien de temps cette petite avait-elle erré dans la forêt avant de s'effondrer? Avec la température qui chutait la nuit venue, elle avait dû être frigorifiée. Des larmes montèrent à ses yeux en présence de ce spectacle macabre. De plus près, elle voyait que l'enfant avait souffert de déshydratation; ses lèvres gercées ainsi que ses cernes noirs en attestaient. Elle pinça l'arête de son nez en détectant l'odeur de moufette. Elle se contenait du mieux qu'elle pouvait pour ne pas restituer son déjeuner.

Son compagnon, qui l'avait rejoint, ne put masquer un hoquet d'horreur à la vue du corps frêle et inerte. Plus vif d'esprit, il s'empressa de tâter le cou chétif malgré la puanteur. Il sentit un pouls à peine perceptible.

— Elle est en vie! s'écria-t-il avec incrédulité en levant un regard estomaqué vers sa conjointe.

Il se dépêcha d'enlever sa veste à capuchon, indifférent à la chair de poule qui recouvrait sa peau sous la brise matinale. Avec une délicatesse extrême, il releva la petite, l'emmaillota, puis la tint contre son torse pour lui prodiguer un peu de sa propre chaleur corporelle.

— Appelle le 9-1-1… Vite! enjoignit-il sa compagne.

Les doigts tremblants, celle-ci dut s'y reprendre à deux fois avant d'y parvenir. L'enfant était au seuil de la mort; ce serait un miracle si elle survivait.

● ● ●

Le médecin de garde d'Angelika lut les notes concernant l'état de santé de la fillette. Cette dernière avait été conduite à l'hôpital la veille. À plus d'une occasion, les secouristes avaient craint de la perdre lors de son transport en hélicoptère. Sa température interne avait chuté de manière drastique, leur faisant appréhender le pire. Son corps amaigri flottait dans la jaquette qu'une infirmière lui avait enfilée après une brève toilette pour la débarrasser du sang séché et des détritus qui collaient à sa peau. Ses blessures pansées lui donnaient l'apparence d'une momie à moitié recouverte de bandages. Elle avait été intubée et ne parvenait à respirer qu'à l'aide d'une machine, sans parler de l'aiguille fichée dans son bras et reliée à du sérum. Elle faisait pitié à voir.

Pour l'instant, personne ne savait qui elle était, à croire qu'elle n'était qu'un fantôme errant dans la forêt.

Le médecin poussa un soupir frustré. Il lui faudrait attendre que quelqu'un se manifeste ou qu'elle daigne se réveiller — si jamais un tel miracle se produisait —, pour l'identifier.

Un homme vêtu d'un tailleur portant de toute évidence la griffe d'un grand couturier se présenta sur le seuil de la chambre.

— Est-ce qu'elle s'en sortira? s'enquit l'inconnu d'une voix posée.

— Je l'ignore, monsieur St-Cyr, répondit le praticien avec déférence en le reconnaissant. Son état est stable, mais qui sait quelles séquelles découleront de sa mésaventure.

— Je vois, murmura Arnaud St-Cyr pour lui-même. Tenez-moi informé de toute évolution, décréta-t-il sur un ton de commande.

Le docteur acquiesça de la tête, non sans une pointe d'interrogation. Néanmoins, il ne lui incombait pas de juger des motivations qui animaient le haut dirigeant d'entreprise. Après tout, cet illustre personnage évoluait au sein des puissants lobbyings de son hôpital. Se le mettre à dos ne serait pas judicieux pour sa carrière. Sans nul doute, ce dernier cherchait-il à obtenir un bénéfice politique avec la petite infortunée, en faisant semblant de se préoccuper de son sort. Il ne serait pas le premier. Il n'y avait qu'à voir l'attroupement de journalistes qui se massait à l'extérieur des murs ; la découverte de l'enfant dans les bois avait fait la une des journaux à travers tout le Québec, et même chez leurs voisins ontariens.

· · ·

Angelika perçut un léger mouvement près d'elle, mais ses paupières étaient trop lourdes pour se soulever. Une voix aux inflexions chaleureuses s'adressait à elle, l'incitant à revenir dans le monde des vivants. Le majeur de sa main droite tressaillit en réponse. En prenant conscience de ce subtil mouvement, l'infirmière de service se pencha au-dessus d'elle.

— Allez, petite..., susurra-t-elle. Il faut te réveiller, maintenant.

Un spasme parcourut le bras d'Angelika, puis ses yeux papillonnèrent avant de parvenir à s'entrouvrir. Elle semblait perdue ; l'aide-soignante en fut chamboulée.

Le médecin qui passait sur les entrefaites fut soulagé. Cette enfant était demeurée dans le coma durant un mois entier. Il pénétra dans la pièce, puis s'approcha d'elle avec lenteur afin de ne pas l'effrayer.

— Bonjour, lâcha-t-il d'une voix profonde. Comment se porte ma patiente préférée ? poursuivit-il avec un brin de taquinerie.

Angelika plissa son nez, son front barré d'un petit creux. À quel endroit se trouvait-elle ? Pourquoi sa grand-mère n'était-elle pas présente à ses côtés? Tandis qu'elle commençait à s'agiter, le docteur déposa une main apaisante sur son épaule.

— Du calme. Nul besoin de t'inquiéter. Tu es en sécurité, à l'hôpital.

Angelika survola la chambre d'un regard affolé. Que faisait-elle ici? Que lui était-il arrivé? Elle se sentait nauséeuse, sans en comprendre la raison. De plus, tous les muscles de son corps élançaient, se rappelant douloureusement à elle.

— Tu as été retrouvée inconsciente dans les bois. Est-ce que tu te souviens de ce qui t'est arrivé? s'informa-t-il.

Elle secoua la tête avec hésitation. Des larmes montèrent à ses yeux marron. Elle était perdue, saisie de frayeur, comme si tout son être pressentait que son existence était menacée.

— Où est... grand-mère..., parvint-elle à croasser d'une voix cassée.

Le médecin échangea un regard attristé avec l'infirmière. C'est en fouillant la forêt à la recherche d'indices concernant Angelika que les policiers étaient tombés sur la dépouille de Malicia Stojka, une semaine auparavant. Les autorités n'avaient pas été longues à comprendre que la patiente retrouvée dans les bois et Angelika Stojka, la petite fille disparue de la victime, n'étaient qu'une seule et même personne. Pour avoir parcouru le dossier de la vieille femme, le docteur connaissait tout des terribles conditions entourant son décès. Si la gamine avait été témoin de cette boucherie, il était à prévoir qu'elle pourrait subir d'importantes séquelles psychologiques. Peut-être qu'avec un peu de chance, elle aurait refoulé au plus profond de sa mémoire ces événements tragiques, par instinct de conservation? À ce jeune âge, c'était possible.

— Angelika, quels sont tes derniers souvenirs? demanda-t-il avec prudence.

Le front de la petite se plissa. Tout semblait tellement flou dans son esprit qu'elle ne savait pas quoi répondre. Il y avait eu la préparation du souper pour le repas de la Toussaint, sa cueillette de champignons, puis plus rien, le noir total. Incapable de se rappeler quoi que ce soit d'autre, elle fut gagnée par la panique. Sa respiration se précipita. Un gémissement de bête traquée lui échappa.

Voulant éviter que son pouls ne s'emballe derechef, le docteur fit signe à l'infirmière de lui administrer un tranquillisant. Il secoua ensuite la tête avec affliction, désolé de l'ampleur du malheur de la fillette.

• • •

Deux jours plus tard, Arnaud St-Cyr pianotait sur le dessus de son bureau en écoutant le compte-rendu du médecin traitant à l'autre bout du fil. Sur un «Merci pour le suivi» laconique, il raccrocha la ligne. Ainsi, la petite avait tout oublié.

C'était somme toute un dénouement pratique. L'enfant n'était plus une menace pour eux dans l'immédiat, si bien qu'ils pouvaient laisser en suspens la décision la concernant. Toutefois, ils s'assureraient qu'elle soit placée en famille d'accueil chez des partisans de leur cause. Ils voulaient avoir un œil sur elle, juste au cas où.

CHAPITRE 4

Il poussa la porte

Neuf ans plus tard

Angelika claqua avec plaisir la porte du centre de réadaptation qui l'hébergeait depuis ses 16 ans. La famille d'accueil qui l'avait recueillie à sa sortie de l'hôpital lorsqu'elle n'était qu'une enfant avait refusé de la garder une fois devenue adolescente. Ils préféraient de loin prendre une fillette plus jeune qu'ils pourraient manipuler à leur guise. L'homme de la maison n'avait pas aimé qu'elle lui déchiquette une oreille quand il avait tenté de la violer, un soir à son retour d'une beuverie. Évidemment, sa femme n'avait rien voulu écouter de ses explications pour justifier ce geste extrême, argumentant qu'elle n'était qu'une pomme pourrie.

Les services sociaux n'avaient pas non plus désiré donner crédit à ses allégations. Après tout, le contre-témoignage du couple s'avérait plus crédible que celui de l'adolescente. Ce fut pour cette raison qu'elle se retrouva au Centre de réadaptation de Québec après avoir passé devant un juge de la jeunesse aussi véreux que le reste du système. Selon eux, elle représentait un danger pour la société. Elle était même considérée comme dérangée mentalement.

Ce départ brusque du foyer d'accueil n'avait pas été une grosse épreuve, puisqu'elle ne s'y était jamais sentie chez elle. Aucune de ses fêtes d'anniversaire n'avait été soulignée. À Noël, elle avait été reléguée au sous-sol pendant que la famille ripaillait à l'étage. Au début, leur bonheur et leur bonne fortune l'avaient écorchée vive, puis peu à peu elle avait revêtu une carapace d'indifférence. De toute façon, elle était seule au monde, autant s'y faire. C'était tout juste si elle gardait un souvenir des jours heureux passés avec sa grand-mère dans leur cabane dans les bois.

Phénomène étrange, elle n'était plus retournée dans la forêt depuis l'accident. Les rares occasions où elle s'y était risquée, elle avait été prise d'une angoisse indescriptible, elle avait sué à grosses gouttes tout en étant parcourue de violents frissons. Elle n'était jamais parvenue à se rappeler les événements entourant le meurtre de son aïeule. Elle était donc demeurée dans l'ignorance, car les policiers refusaient de lui donner plus de détails étant donné son jeune âge. Même le lien qui l'avait relié à son loup avait disparu, sans qu'elle ne sache ce qu'il était advenu de lui. Il s'était tout simplement volatilisé comme par enchantement. Il arrivait, par moments, qu'elle sente qu'un coin du voile cherchait à se soulever, mais une peur instinctive contrecarrait cette tentative d'émergence. Ce qui était sans doute une bonne chose. Parfois, il était préférable de ne pas déterrer le passé.

Elle regarda par-dessus son épaule et leva un doigt d'honneur en direction du centre de réhabilitation. Elle avait 18 ans aujourd'hui, elle était enfin libre. Ses deux dernières années à l'intérieur de ces murs froids et austères n'avaient pas été de tout repos. Près de 730 jours emprisonnée à manger de la nourriture fade, sans aucune possibilité de sortie la fin de semaine, ne fréquentant que d'autres jeunes aussi déséquilibrés qu'elle. Ce qu'elle avait toutefois appris aux côtés de ces désaxés révoltés lui serait utile dans le futur, tout comme son réseau de contacts établis dans les bas-fonds.

En revanche, elle se serait bien passée de la compagnie des éducateurs et des gardiens de nuit, car certains d'entre eux profitaient de leur position pour abuser des plus jolies filles. C'était pourquoi, dès le début de son séjour dans ce centre, elle avait bleaché[2] ses cheveux avec un mélange oxydant artisanal, si bien que ceux-ci avaient été fort endommagés, leur donnant une apparence grichée et maladive. Elle avait accentué leur piteux état en coupant elle-même sa longue crinière, en la taillant au gré de sa fantaisie, puis en teignant les pointes en mauve ; le résultat était désastreux. Pour être certaine de se révéler la plus répugnante possible aux yeux de ces fornicateurs, elle s'était fait poser des *stretchs*[3] aux oreilles, des piercings à l'arcade sourcilière droite, sous la lèvre inférieure, dans la joue gauche, ainsi qu'un anneau dans la paroi nasale. Elle avait aussi toujours pris soin de bander sa poitrine pour en diminuer l'ampleur et revêtu des chandails trop grands pour elle, tout comme des pantalons de jogging défraîchis.

Elle prit une profonde inspiration. Elle avait rasé les murs si souvent pour passer inaperçue, mais ce calvaire était derrière elle désormais. Tout en redressant la sangle de son sac sur son épaule, elle fit mentalement l'inventaire des effets personnels qu'il contenait. Un bien maigre bagage pour commencer sa vie d'adulte. De plus, l'unique argent de poche dont elle disposait ne lui permettrait pas de survivre très longtemps. Il lui fallait donc chercher un emploi sans tarder. De toute manière, même le plus miteux des trous perdus lui paraîtrait luxueux en comparaison de cet endroit abject.

---

2. Bleacher : Décolorer des cheveux avec un oxydant.

3. *Stretch* à l'oreille : Élargir un trou percé à l'oreille au fur et à mesure à l'aide de piercings destinés à cet usage.

Sur cette réflexion désagréable, elle s'apprêta à gagner à pied l'abri d'autobus qui circulait sur la rue bordant le centre, quand tout à coup une Elantra noire s'engagea dans le stationnement, freinant devant elle. Alors que le moteur demeurait allumé, un homme habillé d'un complet sortit du véhicule, une expression neutre sur le visage.

— Mademoiselle Stojka, l'appela-t-il en s'avançant vers elle. Je suis Maître Tremblay, de la firme Bouvier et associés.

Angelika le dévisagea avec suspicion lorsqu'il tendit la main dans sa direction. Comme elle restait immobile, plus méfiante que jamais, il laissa retomber son bras le long de son corps, une mimique amusée sur les lèvres.

— J'imagine que vous vous interrogez sur la raison de ma présence.

Pour toute réaction, Angelika esquissa à son tour un sourire caustique. La vie lui avait appris à douter des gens dans son genre. Le costume n'y changeait rien, au contraire.

— Je vois…, commença l'avocat devant son silence soutenu. Si vous permettez, peut-être que ce mot de votre grand-mère vous mettra plus en confiance ?

Sans attendre sa réponse, il sortit une enveloppe scellée de la poche intérieure de son veston. Angelika s'en empara du bout des doigts après une seconde d'hésitation et lui lança de nouveau un regard soupçonneux avant de se résigner à la décacheter. Elle pâlit d'un coup en lisant le contenu succinct. «Tu es en danger, *matriochka*. Tout ce que tu dois savoir concernant la mort de ta mère et la mienne se trouve dans un coffre de la firme Bouvier et associés.»

Angelika parcourut la missive une deuxième puis une troisième fois, n'arrivant pas à croire ce qui y était écrit. Le terme «*matriochka*» n'était connu que de son aïeule et d'elle. Personne d'autre n'aurait pu en être informé. Mais le plus effroyable, c'est que cette missive datait d'une semaine avant le décès de Malicia. Comment était-ce possible ? Ses entrailles se nouèrent à la pensée de ce que cette lettre impliquait. Un jet de bile brûlant remonta dans sa gorge, laissant un goût âcre sur son passage.

Sans prévenir, le voile noir qui couvrait ses souvenirs se souleva sans crier gare, lui révélant la vérité crue sur les événements survenus jadis.

On avait lâché une meute de chiens enragés à ses trousses pendant que sa grand-mère avait été assassinée. Puis, alors qu'elle se terrait dans son trou en tremblant de peur, des voitures s'étaient rapprochées de sa cachette. Des hommes étaient sortis, transportant un poids. À quelques pas de la route, ils avaient lancé un corps inerte au fond d'un fossé, tel un vulgaire sac de vidanges sans importance, puis étaient repartis. Malgré qu'elle se soit tapie dans la souche, elle avait aperçu le visage des inconnus à travers la fissure dans le bois. Chacun de leurs traits s'était imprégné dans sa mémoire, comme une photo gravée dans son esprit. Elle était demeurée de longues minutes immobile, trop terrorisée pour bouger. Quand elle avait trouvé le courage de s'extraire de son abri sommaire, elle avait rampé jusqu'à la tranchée et fait la macabre découverte. La dépouille de sa grand-mère gisait dans un angle inusité, mutilée et couverte de sang.

À ce rappel affligeant, Angelika tomba lourdement à genoux dans le stationnement en poussant un cri déchirant. Les bras autour de sa taille, elle se balança d'avant en arrière en sanglotant, sans pouvoir s'arrêter. Les images défilaient désormais à une vitesse folle dans son esprit, sans entraves, la malmenant avec une brutalité cruelle ; les premiers jours passés à dormir lovée contre son aïeule à espérer qu'elle se réveille, le froid glacial qui l'avait transpercée quand le cadavre était devenu rigide, sa résignation douloureuse, son errance dans les bois jusqu'à ce qu'elle s'effondre à bout de force...

— Venez, lui ordonna l'avocat devant sa réaction inattendue. Nous ne devons pas rester ici. Ce serait risqué. Nous pourrions attirer l'attention.

Toute amabilité avait déserté ses traits, révélant une expression plus soucieuse. Il jeta un coup d'œil rapide vers le centre de réhabilitation, perçut du mouvement derrière la porte vitrée.

— Allez! tonna-t-il en durcissant la voix.

Ne la voyant toujours pas bouger, il l'empoigna sous les aisselles et la força à se relever. Puis, il la traîna de force vers son véhicule. Ouvrant la voiture du côté passager, il la projeta sur le siège avec rudesse et referma derrière elle. Courant presque, il regagna sa place au volant, démarra en trombe. C'était moins une, car un agent de sécurité se précipitait sur les lieux, une radio entre les mains.

— Attachez-vous! recommanda-t-il à Angelika. Bon sang! Bouclez votre ceinture! mugit-il en perdant patience.

Angelika tressaillit, puis s'exécuta tel un automate. Bernard jeta un dernier coup d'œil dans son rétroviseur avant de ramener son attention sur la route. Il glissa des doigts tremblants dans ses cheveux. Il n'avait que 39 ans, cependant, il avait à cet instant précis l'impression d'en avoir 59. S'il avait su à l'époque dans quel guêpier il se trouverait en acceptant ce dossier, il ne s'y serait pas risqué.

Il poussa un soupir d'exaspération. La jeune fille à ses côtés n'avait toujours pas bougé ni émis le moindre son, ce qui s'avérait sans doute préférable, vu les circonstances. La seconde lettre cachée dans les coffres de la firme serait plus complète, plus percutante. Malheureusement, à partir du moment où cette Angelika Stojka en prendrait conscience, son existence en serait chamboulée, sans mentionner qu'elle se retrouverait dans la mire de tir de ces sadiques si elle décidait de poursuivre les investigations de sa grand-mère.

Que n'aurait-il pas donné pour retourner 10 années en arrière et ne pas croiser la route de Malicia Stojka ? Aucun doute qu'il en soit de même pour le détective privé qu'elle avait engagé à l'époque, Richard Cloutier. Ils étaient alors tous deux jeunes et idéalistes, avides de faire leur place dans le monde, de se distinguer de la masse populaire. Néanmoins, ce que Richard avait découvert au cours de ses recherches les avait tous mis en danger, et Malicia Stojka l'avait payé de sa vie. Il y avait fort à parier que si Richard et lui-même n'avaient pas été exécutés dans la foulée, c'était parce que le groupe d'hommes pisté par leur cliente n'avait pas été en mesure de remonter jusqu'à eux. Ce détail l'avait toujours tracassé, d'ailleurs.

Maintenant, si Angelika Stojka décidait de poursuivre cette investigation, la donne risquait de changer. Un instant, il fut tenté de se retirer de la course, mais son intégrité l'en empêcha. S'il agissait de cette façon, il ne pourrait plus se regarder dans un miroir. Après tout, il n'était pas marié, n'avait pas d'enfants, tout comme le détective Cloutier. Personne ne pouvait donc faire pression sur eux.

CHAPITRE 5

Tire la chevillette, la bobinette cherra

A ngelika suivit l'avocat en silence. Ils pénétrèrent dans un édifice décoré sobrement, puis franchirent une grille de sécurité avant de descendre dans les sous-sols. Ils s'étaient arrêtés devant un coffre de grandeur moyenne. Bernard y inséra une clef et la fit tourner dans la serrure. Lorsqu'un déclic retentit, il l'ouvrit et s'écarta.

— Je vous laisse prendre connaissance de ce qui se trouve à l'intérieur en privé. Ceci appartenait à votre grand-mère. Son contenu devait vous être dévoilé à vos 18 ans.

D'un bref signe de tête, il prit congé dans un mutisme lourd de tension, puis referma derrière lui. Angelika sursauta au son de la porte, qui s'enclencha dans un bruit sourd. Émergeant de son état de stupeur, elle survola la pièce des yeux. Seule une table accompagnée d'une chaise meublait l'espace réduit. Abasourdie, elle pressa ses mains moites l'une contre l'autre avec affliction. Elle avait l'impression de se retrouver en équilibre précaire sur le bord d'un précipice.

Telle une somnambule, elle s'approcha du coffre, retira la caissette métallique qui se trouvait à l'intérieur. Celle-ci était froide ; pourtant, c'est comme si elle lui brûlait les doigts. Prenant une profonde inspiration, elle se risqua à soulever le couvercle. Elle eut la sensation de basculer dans le vide pour de bon en apercevant sur le dessus la cape rouge ayant appartenu à sa grand-mère. Elle se revit alors neuf ans plus tôt, franchissant le seuil de la cabane en bois rond pour aller cueillir des champignons et remarquer que l'étoffe n'était plus suspendue à son crochet.

Pourquoi son aïeule s'en était-elle départie pour la ranger dans cet endroit? S'emparant du tissu de velours, elle le frôla contre sa joue. Tant de souvenirs y étaient rattachés. Les yeux brillants de larmes, elle déposa la cape sur la table. Une feuille pliée en deux glissa d'un repli. Elle s'en saisit et, dans un état second, l'examina de plus près. Il y était inscrit : «*Rouge comme le sang!*»

Angelika relâcha la note avec une expression horrifiée comme s'il s'était agi d'une lettre de feu. Le sentiment de panique qui l'avait gagnée plus tôt s'accentua, lui glaçant les sens. La tête lui tournait, et son estomac menaçait de rendre son dernier repas. Toutefois, malgré elle, son regard fut attiré par une enveloppe cachetée au fond de la caissette. Incapable de résister à la tentation de l'ouvrir, elle s'en empara.

Elle y découvrit avec effroi un exposé complet du meurtre de sa mère Lolita, ainsi que les soupçons de Malicia quant à sa propre mort imminente. Sa grand-mère avait volontairement attiré l'attention sur elle lorsque les criminels avaient décelé ses manœuvres dans l'ombre afin d'éviter que sa petite-fille soit tuée. Elle s'était sacrifiée pour elle.

La gorge d'Angelika se serra sous le coup de l'émotion. Les loups existaient bel et bien dans le cœur des hommes, certains plus voraces que d'autres, et c'est sans pitié que ceux-ci avaient fait de sa famille un plat de résistance. Une haine funeste embrasa petit à petit son âme à la lecture du compte rendu établi par le détective privé engagé par Malicia, et du rapport du coroner entourant le décès de cette dernière. La rage qui la consumait dorénavant l'étouffait, faisant rugir son sang tsigane dans ses veines.

En réponse, une coulée vermeille ruissela sur l'un des murs de la pièce, épais et visqueux; des voix en sourdines emplirent ses oreilles d'un bruit fracassant. Les siens criaient vengeance...
Elle avait l'intention d'être l'instrument de leur courroux.

L'odeur boisée de sa grand-mère l'environna, la galvanisant, puis ce fut le silence. Plus rien ne subsistait de cette manifestation d'outre-tombe.

Angelika fixa la paroi de brique redevenue d'un blanc virginal, une lueur mauvaise au fond de ses prunelles. Il lui fallait penser à un plan. Peu importait le temps dont elle aurait besoin pour y parvenir. Elle apprenait vite, n'avait pas les idées embrouillées par l'alcool comme cela avait été le cas pour sa mère, et elle était pourvue de la vitalité imputée à la jeunesse. Mais surtout, elle était une Stojka, dépositaire du savoir et des croyances de ses ancêtres. L'esprit de son aïeule serait à ses côtés pour la seconder et l'avertir du danger. Elle boirait le sang des six meurtriers de sa grand-mère, leur rendrait au centuple ce qu'ils avaient fait subir à Malicia et à Lolita. Aucune mort ne serait assez douce pour eux...

Elle utiliserait toutes les ruses imaginables pour les prendre dans ses filets. Elle élaborerait des pièges dont ils ne pourraient s'extraire. Tel un loup affamé, elle les traquerait sans merci.

Une porte barrée à double tour s'était ouverte sur son passé, tuant à tout jamais le peu qu'il restait de la petite fille naïve qu'elle avait été jadis.

CHAPITRE 6

Le chasseur allait épauler
son fusil, quand tout à coup…

Trois ans plus tard

O livier arpenta le minuscule local qui lui servait de bureau temporaire d'un pas agité. Il revenait d'une scène de crime tordue, possiblement en lien avec son enquête en cours. Il se massa la nuque avec vigueur. Plus de deux ans s'étaient écoulés depuis que son lieutenant en chef l'avait chargé de collecter des preuves contre Arnaud St-Cyr et certaines de ses fréquentations au sujet de leurs activités potentiellement illicites. On les soupçonnait d'être liés, de près ou de loin, à un réseau de pornographie juvénile. Toutefois, il s'agissait d'hommes puissants qui évoluaient dans les plus hautes sphères de la société, étendant leurs tentacules à travers le monde. Pour investiguer sur de tels individus, une extrême prudence était requise.

Mais cette affectation pesait lourd sur ses épaules et le révulsait. Il avait lui-même un neveu de cinq ans. La seule pensée que ce dernier puisse tomber entre les mains de monstres de cet acabit lui donnait des envies de meurtre. Acharné à l'ouvrage, il ne ménageait pas sa peine, dormant peu, n'adoptant aucune habitude de vie saine, rongeant son frein. L'enquête n'avançait pas comme il l'aurait voulu, ce qui le tuait à petit feu. Chaque jour passé en était un de trop. Il devait trouver le moyen de mettre un terme aux agissements sordides de ce groupe.

S'arrêtant net, il scruta d'un œil noir le tableau sur lequel se retrouvaient des photos, ainsi que des notes écrites à la main. Il connaissait chaque portrait dans ses moindres détails, en faisait une fixation. Tant de nuits blanches, tant de sang versé, pour si peu de résultats. Arnaud St-Cyr était insaisissable, se faufilant chaque fois entre les mailles de leurs filets lorsqu'ils effectuaient des descentes dans les différents *night-clubs* qu'il gérait. À croire qu'un informateur l'avertissait de quelque chose, lui donnant la possibilité d'effacer toutes les preuves de son passage et de ses activités illicites. Songer qu'une taupe pouvait se tapir dans son équipe le perturbait au plus haut point, surtout que chacun des composants avait été trié sur le volet.

Il frotta son menton rugueux. Il n'était pas rentré chez lui depuis trois jours, ne s'était pas rasé, s'accommodant des commodités sommaires de la salle de bain des employés pour se rafraîchir. Il se contentait ensuite d'enfiler une chemise propre sous son veston froissé. Pour l'heure, il avait roulé ses manches et défait les premiers boutons de son col afin de respirer plus facilement.

Quelque chose le dérangeait. Depuis environ une semaine, il avait remarqué une certaine agitation au sein du groupe. S'il ne les connaissait pas autant, il aurait pu croire que l'organisation était déstabilisée par un élément extérieur.

Il ferma ses paupières brûlantes de fatigue, les pressa pour tenter d'y voir plus clair, sans succès. Il devait trouver le moyen de récupérer un peu, sinon, à ce rythme-là, il ne tiendrait plus très longtemps. Excédé, il frappa du plat de la main le cadrage du tableau blanc. Ce faisant, il fit tomber l'une des photos par terre. Il se plia en deux pour la ramasser en poussant un soupir las, vacilla en se relevant trop vite.

— Merde !

Son corps se rebellait contre le traitement qu'il lui infligeait. Décidément, évoluer sur la corde raide n'était pas dépourvue de conséquences, ni les nombreuses tasses de café noir qu'il ingurgitait l'une après l'autre.

Retournant le cliché, il détailla d'un œil scrutateur la femme qui s'y trouvait. Cette dernière était nouvelle dans l'entourage de St-Cyr, et il devait s'avouer qu'elle le fascinait sans qu'il puisse se l'expliquer. Une lueur dans son regard l'intriguait. Qui était-elle ? Quel était son rôle au sein de l'organisation ? Parfois, il la voyait accompagnée de l'un des hommes en complet, et toujours, elle semblait maître de ses émotions, inaccessible. Selon toute vraisemblance, elle était *clean*, insensible à la dépravation qui l'environnait. Que cherchait-elle au juste ? Pour sa part, il était certain qu'elle poursuivait un but précis. Mais lequel ?

Il détailla à nouveau la chevelure bouclée d'un noir de jais, les yeux marron animés d'une flamme singulière. Elle devait avoir entre 20 et 25 ans, paraissait aimer porter du noir et du rouge, tout comme des vêtements mettant ses formes voluptueuses en valeur. Une créature à faire damner un saint… Son instinct, qui ne le trompait quasiment jamais, lui dictait de la surveiller.

Replaçant la photo sur le tableau, il recula de trois pas afin d'obtenir une meilleure vue d'ensemble. Il s'appuya sur le rebord de son bureau en contemplant son contenu, tentant de prendre un autre angle d'analyse. Il devait trouver cette femme. Qui sait, peut-être aurait-il la chance de la confronter durant la rencontre exceptionnelle des membres prévue à l'Auberge du Traqueur le lendemain. Le complexe entier serait réservé pour eux ; il devait s'y infiltrer. Il s'était fait engager comme agent de sécurité. Il serait donc là-bas, avec la possibilité de fureter partout en toute quiétude, d'avoir accès à leurs secrets. Cette occasion en or, il la devait à l'un de ses contacts dans le groupe. C'était l'occasion inopinée d'observer ces gens sur le terrain, d'en apprendre plus sur eux. Certes, il serait à découvert, mais le risque en valait la peine. Il en avait assez que son enquête piétine.

CHAPITRE 7

Un fameux régal...

Angelika survola des yeux les environs. Sa présence avait été sollicitée avec d'autres femmes afin d'égayer le séjour des membres de l'organisation. Si elle manipulait bien son entourage, elle pourrait avoir ses entrées dans le cercle restreint des dirigeants, qu'elle avait identifiés comme étant les six hommes sur sa liste, ceux-là mêmes qui étaient responsables du double meurtre de sa mère et de sa grand-mère. L'endroit était idéal pour exercer sa vengeance auprès de ce groupe obscur. Ils se trouvaient au beau milieu d'une forêt dense, isolés de toute civilisation, dans une région où aucun réseau n'était accessible pour les cellulaires, où aucune route ne menait. L'unique moyen de transport était l'hélicoptère qui venait de les déposer.

Elle leva son regard sur l'auberge en bois rond, puis sur le lac des Bouleaux, où se reflétait la myriade de couleurs des feuilles d'automne. Un sentiment étrange l'animait. Pour la première fois en 12 ans, elle respirait l'odeur des épinettes et des sapins. Il lui semblait qu'une éternité s'était écoulée depuis qu'elle avait parcouru un sentier en forêt, contemplé la nature sauvage. Elle prit une profonde inspiration en fermant les yeux. Elle revivait enfin...

En observant de nouveau la bâtisse qui se dressait devant elle, Angelika esquissa un sourire cynique en lisant les lettres peintes sur la devanture : «Auberge du Traqueur». Un nom approprié pour ce qu'elle se préparait à commettre. Après tout, ne se trouvait-elle pas proche de l'endroit où elle avait été retrouvée à moitié morte, enfant? Un heureux hasard qui servirait ses desseins. Elle avait d'ailleurs commencé son travail de sabotage en semant la confusion au sein de l'organisation de St-Cyr, laissant filtrer des rumeurs pour le moins inquiétantes sur certains de leurs membres, n'hésitant pas à révéler de manière anonyme des lieux de transactions à la police. Ses prunelles se durcirent. L'heure de la vengeance avait sonné, et ce paysage magnifique qui avait bercé son enfance en serait le centre.

Ses jambes gainées de longues bottes de cuir noir, elle s'avança d'une démarche féline vers l'auberge.

• • •

Une heure plus tôt, Arnaud St-Cyr avait rencontré brièvement les agents de sécurité engagés pour leur séjour à l'auberge. Tous les visages lui étaient familiers, mis à part ceux de deux recrues. Il n'aimait pas en temps normal s'entourer d'étrangers, surtout pour un volet névralgique comme celui de leur protection, mais les deux hommes présentaient un dossier sans faille, et leur identité avait été vérifiée avec soin.

Il présidait la table d'honneur avec arrogance, en compagnie de ses plus fidèles associés. Portant son regard aiguisé sur l'assemblée, il apprécia au passage la compagnie des jeunes femmes présentes pour leur servir d'escortes. L'une d'elles en particulier captait son attention; celle qui se faisait surnommer «la Louve».

Elle lui rappelait vaguement quelqu'un, sans qu'il puisse mettre un visage sur ses souvenirs. Il la surveillait depuis un moment déjà. Cette beauté ténébreuse l'intriguait, sa sensualité animale l'attirant comme un aimant. Il n'était pas le seul d'ailleurs à la dévorer des yeux. À côté d'elle, les autres filles faisaient pâle figure. Aucune d'elles ne possédait cette aura sauvage, cette volupté naturelle qui enflammait leur imagination et leurs sens. Les rares hommes ayant eu le privilège de partager sa couche depuis son arrivée dans le cartel n'avaient pas eu à se plaindre à son sujet, au contraire.

Arnaud leva son verre de vin blanc de Corrèze dans sa direction, un sourire prédateur sur les lèvres. Angelika lui retourna un regard langoureux entre ses cils.

Un mouvement sur sa gauche l'attira cependant. Le chef s'était surpassé ce soir, le plat que les serveurs se préparaient à leur apporter était inusité.

— Au menu, des testicules de mouton braisées, une spécialité qui nous vient tout droit du Limousin, commença d'un ton solennel le maître d'hôtel de l'auberge.

À ces mots, certaines fourchettes cognèrent par inadvertance contre la vaisselle, des exclamations étouffées parcoururent l'assemblée. Plus d'un de ces messieurs n'appréciait visiblement pas ce mets pourtant raffiné. L'un d'eux porta par réflexe une main à son entrejambe en grimaçant.

En prenant conscience du malaise qui s'était installé dans la pièce, le maître d'hôtel se racla la gorge, soudain plus tendu. Soucieux de maintenir les apparences, il raidit la nuque en s'efforçant de masquer son embarras. Il poursuivit :

— Le tout a été rehaussé d'une préparation à base de persil, d'ail, de citron et d'huile d'olive. Un régal pour le palais...

En s'apercevant de son mauvais choix de mot, il s'empourpra. Ne sachant quelle attitude adopter, il croisa les mains devant lui en redressant les épaules.

Angelika saisit une des fines lamelles assaisonnées en évitant de toucher aux champignons qui s'y trouvaient. Elle croqua avec une lenteur délibérée l'une des extrémités de la lanière juteuse, puis passa avec langueur le bout de sa langue sur ses lèvres pour en recueillir le suc savoureux.

Arnaud tiqua, nullement amusé par ce choix de plat. Sur sa droite, Paul, le dresseur de chiens, éclata d'un rire gras. Empoignant sa fourchette, ce dernier fourra dans sa bouche plusieurs morceaux, puis les mastiqua en affichant une expression insolente. Il n'avait que faire de la sensibilité excessive de certains. Lui, il se délectait de la viande fraîche, en particulier celle des bois. Il n'en était pas à son premier mets insolite. Ne désirant pas faire les frais de plaisanteries douteuses de leurs compères, le reste de la tablée se résigna à manger le contenu de leur assiette.

Paul fut le premier à terminer. Repu, il s'appuya au dossier de sa chaise, un verre de vin en main. Il n'appréciait pas ces repas mondains, préférant la vie plus rude et simple de la forêt. D'ailleurs, c'était pour cette raison qu'il avait accepté l'invitation d'Arnaud. Dès demain, il se promettait d'aller explorer les sentiers avec sa meute de chiens afin d'y chasser le gibier. La traque l'excitait.

Devant lui, Vincent se hasardait à avaler davantage de champignons trempés dans la sauce que de testicules de mouton. Il n'était pas friand des effusions sanguinaires, plus enclin à utiliser des méthodes plus raffinées pour combler ses désirs. Jetant un regard en coin à la jeune femme habillée d'un pantalon moulant en cuir et d'un bustier en dentelle qui dissimulait à peine ses atouts, il sentit un début d'érection naître entre ses cuisses. Il s'imaginait déjà chevauchant cette créature de feu.

Il aurait plaisir à la menotter à son lit, les jambes tenues écartées par une barre d'espacement, une rose rouge déposée sur son pubis en guise de vêtement. Tout ce qu'il se promettait de lui faire... Il se voyait insérer deux doigts dans son antre divin, un troisième, puis un quatrième, et finalement une main entière afin de pouvoir la fouiller jusqu'au plus profond de son intimité, lui arrachant des cris rauques. Comme il se plairait à enfoncer son poing avec vigueur, de plus en plus loin, la préparant à le recevoir avec l'un de ses comparses dans le même orifice douillet. Avec ses jambes maintenues écartées par la barre, il lui serait impossible de fuir cette double pénétration. Son passage serait-il trop étroit pour les prendre ensemble? Il l'espérait! Ainsi, il se délecterait de son supplice. «Bordel!» Il en jouissait presque sur place.

Il en était à s'efforcer de calmer ses ardeurs, lorsque trois hommes de main déboulèrent dans la salle à manger, la mine lugubre.

— Monsieur St-Cyr, commença l'un d'eux. Il faudrait que le dresseur de chiens et vous m'accompagniez! Je dois vous montrer quelque chose!

— Cela peut-il attendre la fin du repas? s'impatienta Arnaud avec un déplaisir évident, alors que Paul soulevait un sourcil arrogant.

— Non, monsieur! insista le garde d'un ton dur.

Soudain méfiant, Arnaud se releva, suivi de près par Paul qui se sentait à son tour gagné par la suspicion. Curieux, David se joignit à eux en enfilant son manteau de cuir, ainsi que Léopold, le cousin d'Arnaud. Quant à Manuel, il en profita pour inviter deux blondes plantureuses dans sa chambre. Faute de pouvoir enfourcher son étalon pour sa chevauchée habituelle, il comptait bien dépenser son énergie avec une tout autre forme de divertissement. «Au diable les intrigues d'Arnaud!»

Ne restaient plus à la table que quelques convives de moindre importance, trois filles, incluant Angelika, et Vincent. Déterminée à appâter sa proie, Angelika coula des yeux aguicheurs vers ce dernier, puis inséra un doigt entre ses lèvres, le suçant dans un langoureux va-et-vient pour l'humidifier avant de le passer avec lenteur sur le rebord de sa coupe. La verge de Vincent tressauta dans son pantalon, de plus en plus à l'étroit. «Oh oui!» La fin de soirée promettait d'être distrayante, songeat-il en faisant un signe de tête à l'un de ses comparses. Comprenant son signal, celui-ci regarda dans la direction que Vincent lui indiquait du menton. Sans vergogne, il prit appui à la chaise libre à sa droite et lorgna la silhouette d'Angelika avec avidité.

• • •

Arnaud suivit les trois hommes de main d'un pas vif, ses collègues sur ses talons. La soirée était fraîche et sombre à cause des nuages obscurcissant le ciel étoilé. Par chance, les gardes s'étaient prémunis de lampes torches afin d'éclairer leur chemin. Après à peine cinq minutes de marche, ils pénétrèrent dans l'abri des rottweilers. Ce qui frappa Arnaud dans un premier temps, ce fut l'odeur infecte qui régnait sur les lieux. Par la suite, il remarqua les cages inoccupées. Seules des gamelles, dans lesquelles on pouvait voir d'étranges boules de chair, s'y trouvaient. À constater le peu qu'il restait dans les récipients métalliques, Arnaud comprit que les chiens s'étaient régalés avant de disparaître. Il fronça les sourcils; où étaient ces maudites bêtes?

Levant les yeux vers Paul, le responsable de la meute, il chercha une explication. Mais ce dernier était accroupi au sol, un sac de plastique transparent entre les mains. Deux amas de viande identiques à celles des plats reposaient au fond dans un liquide visqueux. Quand Paul se releva, il paraissait pensif.

— Il est écrit «Testicules de mouton» sur l'emballage, déclarat-il d'un ton caustique. Qu'est-ce que ça veut dire?

Aussi perplexe que lui, Arnaud scruta les sbires d'un regard dur.

— À quoi toute cette histoire rime-t-elle? lâcha-t-il rudement.

— Je crois qu'il serait préférable que vous le constatiez par vous-même, monsieur, se hasarda à répondre l'un des hommes.

Il invita le petit groupe à le suivre à l'extérieur, à l'arrière de la cabane. Les chiens y étaient suspendus à des crochets de boucherie, tête en bas, prêts à être dépecés. Vu la quantité de sang au sol et l'odeur rance métallique, ils avaient tous été égorgés.

— Bordel! hurla Paul en apercevant le tableau macabre. C'est quoi ce foutoir?

Furieux, il se dirigea droit sur la première carcasse. Remarquant que la bête avait été châtrée de son scrotum, il éprouva un choc. Une réalité abjecte prit peu à peu forme dans son esprit. Il alla au pas de charge vers les autres dépouilles pour faire le même constat sordide.

— Qu'est-ce qui se passe? s'informa Arnaud en le voyant perdre toute contenance.

— Fais venir le cuisinier! eut Paul pour toute réponse, d'une voix blanche en revenant vers le chenil.

— Quel est le rapport avec le chef? s'impatienta Arnaud.

— Amène-moi ce fils de pute! rugit Paul en serrant les poings.

Arnaud crispa la mâchoire, peu enclin à accepter de se faire houspiller de la sorte. Toutefois, en apercevant la veine qui battait dans le cou de son partenaire d'affaires, il comprit qu'un élément clochait. D'un signe, il indiqua à l'un des hommes de main d'aller le quérir. Dès que celui-ci se fut exécuté, il s'approcha des bêtes en grimaçant à cause de l'odeur fétide qui s'en dégageait.

Des excréments jonchaient le sol dans une mare de sang et de déjections organiques qu'il préférait ne pas identifier. Léopold, qui le suivait, porta un foulard à ses narines pour tenter de masquer la puanteur. Pourtant, en avisant la scène, il verdit d'un coup. Quant à Arnaud, il commençait à appréhender le pire. En réponse, son estomac se contracta.

Ce fut sur ces entrefaites que le cuisinier arriva. Paul lui montra le sac de plastique. À sa vue, le chef se gratta le front.

— Il y en avait justement un en moins dans ma livraison du jour, s'exclama-t-il, n'y comprenant rien.

Devant l'expression vindicative d'Arnaud, il devint plus nerveux. Il n'était peut-être pas un grand penseur de ce monde, mais il n'était pas idiot pour autant. Selon toute vraisemblance, on attendait des explications de sa part, mais il ignorait pourquoi on faisait tout un plat de cette histoire somme toute banale. Des aliments manquaient souvent dans les commandes, ça faisait partie des impondérables avec lesquels ils devaient jongler tous les jours.

— J'étais débordé en cuisine, je n'avais pas le temps de m'en occuper sur le moment. Je m'étais cependant laissé une note dans mon bureau pour revenir à la charge auprès de mon fournisseur, dit-il pour se justifier. De toute façon, ce n'était pas si grave, puisque j'avais assez de couilles de mouton pour préparer ma recette. Trois des emballages étaient pleins, beaucoup plus que d'habitude, ce qui me sauvait la mise, précisa-t-il en tentant de garder un semblant de placidité.

— Est-ce que le surplus dans ces sacs avait une texture ou une grosseur différente? s'informa Paul d'un ton tranchant qui fit sourciller le cuisinier.

— Euh... Oui, en effet..., bredouilla celui-ci, de plus en plus agité.

Du dos de la main, il essuya les gouttes de sueur qui commençaient à perler sur son front. Un hoquet apeuré lui échappa lorsque Paul l'empoigna par le cou pour le tirer jusqu'à l'un des chiens. Le malheureux blêmit d'un coup en apercevant la masse ensanglantée et charcutée, d'où pendaient des filaments informes. Il retint de justesse un haut-le-cœur en comprenant qu'il avait servi des testicules de rottweiler à ses hôtes parmi celles de mouton. Sur le point de défaillir, il se retourna prestement vers l'homme en complet.

— Je vous assure que je ne savais pas! Par pitié, je l'ignorais..., gémit-il en agitant les mains dans les airs avec confusion.

Léopold, qui venait de prendre la pleine mesure de ce qu'il avait mangé au repas, eut juste le temps de se pencher avant de vomir tout le contenu de son estomac, éclaboussant ses souliers vernis. Quant à Paul, empli d'une rage meurtrière, il empoigna de nouveau le cuisinier, prêt à le cogner de son poing. Arnaud s'interposa en retenant son bras vengeur.

— Arrête! Cet imbécile n'y est pour rien! déclara-t-il avec froideur. Il s'agit d'un coup monté! poursuivit-il en durcissant la voix. Réserve ta hargne pour le véritable coupable.

Là-dessus, il lança un regard d'avertissement au chef. Ce dernier se recroquevilla davantage sur lui.

— Pas un mot à personne! siffla-t-il entre ses dents, sinon tu iras rejoindre ces bêtes.

L'homme opina avec vigueur, heureux d'échapper à un sort funeste. La peur au ventre, il quitta les lieux du carnage aussi vite que lui permettait sa corpulence. Arnaud se tourna vers David, demeuré silencieux jusque-là.

— Trouve le fils de pute responsable de ça! lâcha-t-il crûment, s'oubliant. Et amène-le-moi!

David tira sur le bas de son manteau de cuir d'un mouvement brusque avant de lui signifier d'un hochement de tête qu'il avait compris.

CHAPITRE 8

Elle se déshabille, et va se mettre dans le lit

V incent se dirigea vers la salle de billard avec son comparse sur les talons, un air goguenard affiché sur le visage. Tous deux s'étaient entendus sur la marche à suivre. Dans la chambre de Vincent se trouvaient deux jeux de menottes, une barre d'espacement, de la corde, un bâillon, ainsi que de l'huile lubrifiante. Le *kit* parfait pour orchestrer une nuit de débauche.

Angelika s'était retirée quelques minutes plus tôt après lui avoir susurré à l'oreille de la rejoindre dans cette pièce dans 15 minutes. Il avait siroté lentement son vin, puis avait gagné ses quartiers afin de s'assurer que tout serait prêt pour la suite.

— À quoi dois-je m'attendre? s'informa son comparse en arrivant devant la porte.

— Avec cette allumeuse, à tout..., répliqua Vincent d'un ton gourmand. J'ai bien l'intention de me livrer à tous nos petits jeux pernicieux avec elle, poursuivit-il en éclatant d'un rire vulgaire en poussant le battant.

Sur le point de renchérir, son compagnon eut un temps d'arrêt en grimaçant. Un élancement douloureux lui crispa le ventre. Il tordit la bouche, le souffle court. Avant même que Vincent eût conscience de son malaise, celui-ci se dissipa d'un coup, lui permettant de mieux respirer. Incertain, il attendit quelques secondes, puis s'avança à son tour. À la vue du spectacle provocant qui s'offrait à leurs yeux, il sentit son sexe se gonfler, oubliant son désagrément passager.

Vincent se pourlécha les lèvres en s'approchant de la tentatrice. Angelika était allongée sur la table de billard, le rouge de sa cape contrastant avec le vert foncé du tapis de jeux. Elle portait sous l'étoffe de velours une culotte de satin noir, ainsi qu'un bustier moulant garni de dentelle. Des souliers fins à talons hauts ceignaient ses pieds, alors que ses avant-bras étaient gainés de gants de soie jusqu'aux coudes. Sa longue chevelure de jais était répandue tout autour de sa tête, telle une invite à y glisser les doigts. L'une de ses jambes fuselées était repliée, un pan du tissu pendant sur le côté, dévoilant un carré de chair suggestif. Ses deux bras étaient étendus en croix, sa nuque arquée, dans l'attente de son maître.

Vincent s'empara d'une queue de billard, utilisa l'extrémité arrondie pour la départir de la cape de velours rouge afin d'avoir une vue d'ensemble de ses charmes. Puis, il se servit de la tige pour écarter le string. Angelika en profita pour plier son autre jambe et ouvrir les cuisses, révélant aux regards lubriques ses lèvres mouillées.

Inspiré par le moment, d'une joie vicieuse, Vincent cracha sur le bout du bâton pour faciliter son insertion dans l'orifice douillet. Contre toute attente, Angelika se cambra pour recevoir la queue de billard plus profondément en elle, l'excitant davantage. Son comparse s'approcha, prêt à grimper sur la table pour mordre les mamelons dressés sous l'étoffe soyeuse. Il venait de prendre position, quand il fut pris d'une nouvelle crampe abdominale qui lui coupa le souffle. Une douleur atroce lui vrilla les entrailles, lui donnant des sueurs froides. Dans un gémissement misérable, il se laissa choir au sol en trébuchant, puis se précipita vers la porte, plié en deux.

Son départ subit déstabilisa Vincent l'espace d'un instant. Profitant de cette pause, Angelika se dégagea du bâton qui l'empalait, puis se releva à genoux sur la table, face à son tortionnaire. Elle enroula ses bras autour de son cou, pressant ses seins contre sa poitrine, enjôleuse.

Elle était satisfaite ; le comparse de Vincent avait été prompt à réagir aux champignons vénéneux qu'elle avait substitués à ceux prévus pour accompagner la recette de couilles de mouton. En petite quantité, les amanites provoquaient des diarrhées, des vomissements, des douleurs gastriques, ainsi que des hallucinations pour certaines personnes. En plus grande portion, ils se révélaient mortels. Il lui avait donc fallu se montrer prudente dans son dosage ; après tout, elle désirait étirer le supplice de ses victimes avant de les faire trépasser. Ces êtres abjects méritaient une longue agonie pour expier leurs péchés.

L'homme qui venait de sortir précipitamment viderait les boyaux de ses intestins sans pour autant en mourir, ce qui lui octroyait du temps pour s'occuper de Vincent Dumont en toute impunité. Les effets néfastes du fongus pouvaient prendre des jours avant de se manifester, ou agir sur-le-champ comme cela avait été le cas cette fois-ci. Le fait que la constitution physique de Vincent se soit révélée plus résistante convenait à ses plans. Sa vengeance n'en serait que plus jouissive, tout comme le plaisir qu'elle avait éprouvé en dépeçant les rottweilers après les avoir endormis. Faire manger les testicules de ces bêtes à ces êtres abjects n'était que justice.

Soucieuse de garder sa proie bien ferrée, elle porta un regard ensorceleur sur l'homme, le capturant dans ses filets.

— Allons dans un endroit plus discret pour continuer ce petit jeu, susurra-t-elle d'une voix veloutée. Je mouille à l'idée de ce que tu me réserves pour la suite, poursuivit-elle en se pressant contre lui.

Ayant déjà oublié la réaction étrange de son comparse, Vincent la plaqua avec lubricité contre son bas-ventre.

— Oh oui, ma jolie... J'ai tout préparé dans mes quartiers. Il ne manque que toi..., renchérit-il en la faisant descendre de la table avec empressement.

Angelika s'enroula dans sa cape rouge, puis recouvrit ses cheveux du large capuchon afin de demeurer incognito. Elle ne désirait pas qu'on la voie quitter la salle de billard en compagnie de Vincent.

• • •

Olivier venait de sortir de la bibliothèque quand il aperçut Vincent tourner à l'angle d'un couloir en compagnie d'une inconnue dissimulée sous une lourde étoffe. Il lui était impossible de reconnaître les traits ; néanmoins, il pouvait deviner à la taille de cette dernière qu'il s'agissait d'une femme. Sans doute l'une des escortes qui accompagnaient le groupe pour épancher leur faim insatiable. Une expression de dégoût s'afficha sur son visage. Il avait enquêté sur de nombreuses victimes charcutées par les mains de ces monstres, lui faisant appréhender le pire pour celle-ci. À croire que ces cinglés ne craignaient pas de semer les cadavres dans leur sillage.

En se remémorant le plus récent corps retrouvé dans une vieille remise abandonnée en bordure d'un bois, il fut parcouru d'un frisson d'horreur. La dépouille arborait le chandail de son équipe junior de soccer, alors que le bas de son corps était nu, présentant de multiples mutilations. Ce fut à partir de cet instant qu'il comprit que St-Cyr et sa bande faisaient plus que de la pornographie juvénile. Ce meurtre crapuleux était le fait de fous furieux qui prenaient leur plaisir dans la souffrance ; ce constat lui avait fouetté le sang, le motivant d'autant plus à mettre un terme à ce délire. C'était à cause de cette macabre découverte qu'il avait décidé d'infiltrer lui-même le cartel durant la fin de semaine.

Détournant la tête du couloir maintenant désert, il se massa les tempes afin de s'éclaircir les idées. Le départ expéditif d'Arnaud durant le repas l'avait intrigué. Il devait trouver de quoi il en retournait.

● ● ●

Une lueur de convoitise brillait dans le regard de Vincent alors qu'il reluquait les formes pleines des seins qui se dressaient devant lui. Avide d'en goûter le fruit, il aspira l'une des pointes érigées, la mordant avec sauvagerie. Angelika poussa un petit cri de douleur et se raidit. D'un geste vif, elle s'empara de l'une des paires de menottes qu'elle avait remarquées sur la table de chevet, s'empressa avec agilité d'immobiliser le poignet droit de son agresseur au barreau principal de la tête du lit.

Surpris, Vincent recula la tête pour mieux la jauger. Il était assis sur le matelas, nu, Angelika juchée au-dessus de lui, une expression énigmatique sur le visage. Amusé par cette manœuvre inattendue, il éclata d'un rire salace, son corps pâle tressautant sous elle. Comprenant qu'elle devait détourner son attention pour le rendre malléable, elle se pencha vers le membre dressé, le happant avec force entre ses lèvres. Vincent trembla en lâchant un râle comblé. Ne se méfiant pas d'elle, il la laissa écraser ses couilles à la limite du supportable avec un plaisir malsain, oubliant pour l'heure son poignet attaché.

D'instinct, il porta sa main libre à la nuque délicate pour l'obliger à le prendre en entier. Angelika s'exécuta avec ardeur en réprimant une envie de vomir, comme si elle cherchait à l'avaler, arrachant un second grognement à Vincent. Poussant les fesses, il s'efforça de s'enfoncer plus profondément encore. Écœurée, elle se dégagea d'un mouvement preste et profita de son élan pour emprisonner son autre poignet avec le deuxième jeu de menottes. Dès qu'il fut immobilisé, elle se départit de sa culotte qu'elle huma avec obscénité avant de la mettre dans la bouche de Vincent. Sans le quitter du regard, elle l'enjamba pour insérer sa verge en elle. Ce dernier gémit, avide de se perdre au plus profond de sa moiteur, de la défoncer. Il ferma les yeux comblés tandis qu'elle le chevauchait avec une ardeur débridée qui faisait grincer les ressorts du lit.

À son insu, Angelika agrippa la corde qui traînait sur la table de chevet, puis la passa autour du cou de Vincent d'un geste sans équivoque. Un sursaut d'adrénaline se déversa dans les veines de celui-ci quand la fibre rêche écorcha sa peau. En temps normal, c'était lui qui prenait son plaisir en étranglant ses victimes. Leur suffocation lui arrachait à coup sûr une jouissance dévastatrice. Malencontreusement, il arrivait que certaines de ses proies périssent sous ses doigts, la trachée écrasée sous sa force brute. C'était cependant la première fois qu'il vivait l'expérience lui-même. Confiant, il se déchaîna sous elle pour la pénétrer jusqu'à la garde, la faisant rebondir sur lui, ses testicules cognant contre ses fesses.

Angelika enroula les extrémités de la corde sur ses poings au fur et à mesure qu'elle resserrait l'étau autour de la gorge, solidifiant sa prise. Les mouvements de Vincent devenaient plus saccadés sous le manque d'oxygène. Elle put déterminer le moment exact où il réalisa sa fin imminente et son impuissance vis-à-vis celle-ci. Elle affermit son emprise sur ses hanches avec ses cuisses pour ne pas être désarçonnée.

Une brise souleva ses cheveux ; une présence familière les survola. À cet instant précis, un spectre apparut avec une clarté effrayante au-dessus de la tête de Vincent. Est-ce qu'il hallucinait ? Il l'ignorait. Mais toujours est-il que la forme ressemblait de plus en plus à cette vieille folle qu'ils avaient massacrée dans les bois plusieurs années auparavant : Malicia Stojka. Elle le surplombait, un cordon de rideau enroulé autour de son cou. Son cœur rata un battement, son corps fut parcouru de spasmes, puis sa vision se rétrécit. Il ne voyait plus qu'elle, qui tendait ses mains squelettiques vers lui pour enserrer sa gorge. Il voulut crier à l'aide, mais le bâillon de fortune dans sa bouche l'en empêcha.

Angelika se rapprocha de son visage, un éclat meurtrier au fond des prunelles.

— Vous mourrez tous ! déclara-t-elle d'une voix lugubre.

Au moment où il allait jouir, elle l'étrangla jusqu'à la suffocation, alors qu'il se déversait en elle d'un long jet chaud. Son antre recueillit la moindre goutte, telle une mandragore s'abreuvant du sperme d'un pendu. Les jambes tressautèrent une dernière fois, puis retombèrent inertes sur le matelas.

Angelika se releva avec un détachement glacial, puis se servit du drap pour essuyer le liquide gluant qui coulait entre ses cuisses. Désireuse de demeurer discrète dans l'immédiat, elle retira sa culotte de la bouche du mort, et récupéra les menottes qu'elle fourra dans un ballot de fortune, puis se couvrit de sa cape rouge. Elle sortit de la chambre incognito, sans un seul regard en direction du cadavre encore chaud. Tôt ou tard, les policiers seraient à même de l'identifier par son ADN ou ses empreintes, mais elle n'en avait cure, car à ce moment-là, elle aurait accompli sa mission.

• • •

Olivier revenait de son tour de garde pour s'assurer que rien ne clochait dans les parages, quand il distingua des bruits de voix en provenance du chenil. Il entraperçut St-Cyr entre les branchages, mais ne put s'approcher des lieux sans risquer d'être repéré. Il ignorait ce qui s'y tramait, mais ça devait être assez grave, pour faire déplacer le grand manitou. Malgré la distance, une forte odeur rance, charriée par le vent, ne laissait planer aucun doute sur son origine. Des dépouilles gisaient, tout près. Il espérait seulement qu'il s'agissait de carcasses d'animaux sauvages et non de cadavres humains.

Il en était à se questionner à ce sujet quand un bruit sec de branche cassée craqua dans son dos. Se retournant d'un bloc, il chercha à percer le couvert de la nuit. Une silhouette à quatre pattes se profila derrière les arbres, puis un éclat doré capta la lumière lorsqu'il pointa sa lampe torche dans cette direction. En apercevant le pelage argenté qui se reflétait sous la clarté froide du faisceau, Olivier prit une inspiration rapide sous l'effet de l'adrénaline qui affluait dans son sang.

Un loup rôdait dans la nuit. Une bête énorme, s'il se fiait à la vision fugitive qu'il en avait. Des grognements sourds retentirent des profondeurs des bois. L'animal n'était pas seul. Un frisson fit dresser les poils sur ses avant-bras. Il était reconnu pour ses nerfs d'acier en temps normal, mais ses craintes les plus primitives revenaient en surface en présence de ces prédateurs redoutables. Il n'avait aucune chance contre une meute entière.

Les traits décomposés, il recula d'un pas prudent afin de ne pas effaroucher les carnivores. Il dépensa une énergie considérable pour garder son calme, surtout que l'un des loups venait de se détacher du groupe sans le quitter des yeux. Pour l'heure, il ne souhaitait pas encourir le risque de révéler sa présence à St-Cyr en tirant un coup de feu. Il s'y résignerait uniquement en dernier recours.

Longeant le mur qui se trouvait désormais derrière lui, il pénétra avec soulagement dans le rond de lumière projeté par un lampadaire au-dessus de lui. La bête s'immobilisa d'emblée, puis releva la tête vers l'une des fenêtres en agitant ses oreilles. Il semblait flairer une odeur familière, mais Olivier ignorait de quoi il en retournait. Son cœur battait à tout rompre dans sa poitrine, et sa confusion fut totale lorsque l'animal se retourna d'un mouvement fluide pour bondir vers la forêt, sans laisser de traces de son passage.

Pendant un bref instant, Olivier crut qu'il avait halluciné, mais les hurlements qui résonnèrent dans les ténèbres le firent frémir des pieds à la tête.

CHAPITRE 9

Porte-lui une galette et ce petit pot de beurre

Angelika sortit de l'auberge par une porte de service en vacillant, ses pas foulant le sentier de gravier qui menait à l'une des dépendances. Ce qui venait de se produire dans la chambre de Vincent Dumont lui avait retourné les tripes. Elle n'avait rien d'une meurtrière ; pourtant, c'était exactement ce qu'elle était devenue. Ses inhibitions étaient étouffées par son désir de justice. La nuit l'ensorcelait d'une façon étrange, comme si tout lui était permis, sous le couvert de l'obscurité.

Depuis qu'elle avait entamé ses recherches trois ans auparavant, des gens étaient morts par sa faute à cause de ses agissements et de ses manipulations dans l'ombre. Elle ne les avait toutefois pas tués directement, d'autres s'étaient chargés de cette sale besogne. Cette fois, c'était différent : elle avait assassiné un être humain de ses propres mains. Ce qu'elle avait ressenti alors l'avait galvanisée tout en lui donnant une frayeur de tous les diables. C'était comme si une soif macabre s'était réveillée en elle.

Un long frisson parcourut son échine dorsale. Elle refusait de s'assujettir aveuglément à ce nouveau pouvoir sombre, à causer la perte d'innocents. Ce n'était pas le but qu'elle visait… L'attrait était néanmoins des plus séduisants ; trop, même…

Elle se secoua, sa conscience refaisant surface. Ceux qui avaient péri au cours des trois dernières années le méritaient. Elle n'avait eu aucune hésitation à semer le doute sur certains d'entre eux ni à exploiter leurs faiblesses pour leur soutirer de l'information, les utilisant comme boucs émissaires. Après tout, ces hommes œuvraient pour le compte de l'organisation, faisaient partie des maillons de l'engrenage. Étonnamment, il n'avait pas été difficile de les désigner comme coupables lorsque des transactions échouaient ou que des fuites survenaient par sa faute auprès des services de police. Qui aurait soupçonné un joli objet sexuel comme elle? Personne... Néanmoins, elle demeurait lucide. Tôt ou tard, St-Cyr ou l'un de ses partenaires ferait des rapprochements entre les événements. Ce monstre était rusé, il finirait par comprendre ce qui se déroulait sous son nez. Elle espérait juste disposer du temps nécessaire pour éliminer chacune de ces crapules de la surface de la Terre avant qu'il ne prenne conscience de la menace qu'elle représentait. À elle de faire en sorte que des innocents n'en paient pas le prix fort dans la mêlée.

Plongée dans ses pensées, elle ne remarqua pas la silhouette qui s'avançait vers elle d'un pas léger. Une allumette craqua dans le noir, la faisant tressaillir. Angelika fronça les sourcils en avisant l'inconnue sur sa droite. C'était la première fois qu'elle la voyait. Sans doute s'agissait-il d'une nouvelle recrue, sauf que celle-ci ne cadrait pas avec le profil habituel. Son allure glauque dénotait avec le reste des filles. Vraisemblablement une âme perdue ramassée sur la rue par ces charognards pour leur trafic. Pourtant, avec ses cheveux noirs coupés en brosse, sa camisole en filet endossée par-dessus un t-shirt à la propreté douteuse et ses pantalons troués, elle n'avait rien d'attirant pour la clientèle cible du réseau.

Angelika détailla la multitude de piercings sur son visage. Son regard s'arrêta sur l'anneau démesuré fixé à la paroi nasale. Est-ce que cette étrangère s'exhibait de la sorte pour repousser les éventuels prédateurs sexuels, comme elle l'avait fait autrefois? C'était fort possible. Par réflexe, elle frôla sa chevelure devenue plus soyeuse grâce aux multiples traitements auxquels elle avait eu recours pour leur redonner une apparence saine. Il y avait déjà trois ans qu'elle s'était elle-même départie de ses propres piercings, allant jusqu'à subir une chirurgie pour ressouder les trous laissés par les *stretchs* au lobe de ses oreilles. À partir du moment où elle était sortie en secret de la firme Bouvier et associés, le jour de ses 18 ans, elle avait totalement disparu de la circulation grâce aux bons soins de Maître Tremblay et du détective privé engagé par sa grand-mère. Tous deux l'avaient aidé à se cacher pendant qu'elle effectuait sa transformation; des mois passés à acquérir un vernis sophistiqué pour tromper l'ennemi. Puis, elle était apparue au grand jour sous le pseudonyme de «la Louve», s'était infiltrée dans l'organisation de St-Cyr sans inquiétude d'être reconnue. Bernard Tremblay et Richard Cloutier avaient, quant à eux, décidé de poursuivre avec elle, assurant ses arrières dans l'ombre.

Elle en était à cette réflexion lorsqu'un rayon de lune fut capté par le médaillon que l'inconnue portait à son cou. Angelika plissa les yeux devant le silence soutenu qui s'était installé entre elles, inconfortable en présence des prunelles teintées d'un curieux magnétisme qui la fixait. Voulant s'extraire de cette ambiance déroutante, elle pencha la tête sur le côté, puis désigna l'auberge du menton.

— Tu devrais éviter de fréquenter ces hommes, lâcha-t-elle à brûle-pourpoint. C'est malsain d'évoluer dans leur entourage.

— Je sais, répliqua la jeune femme avec une ombre voilée dans le regard. Je ne fais que passer.

Sa réponse, pour le moins inattendue, intrigua Angelika. Que faisait-elle ici? Pourquoi l'aborder, alors que les autres escortes la fuyaient comme la peste? Cette étrangère lui faisait l'effet d'une énigme sortie de nulle part. Elle n'aimait pas les incertitudes, surtout dans une situation aussi explosive. Sa position était insoutenable et les jours à venir se révéleraient sanguinaires. Elle n'avait pas besoin qu'un élément extérieur vienne perturber ses plans.

— Comment t'appelles-tu? s'informa-t-elle avec un soupçon d'irritabilité.

— Peu importe, je ne suis qu'une silhouette diffuse dans la nuit.

Le sourire en coin qu'elle afficha troubla Angelika. Pour une raison qu'elle ignorait, il y avait quelque chose chez cette inconnue qui forçait sa confiance, comme si sa seule présence apportait un baume sur ses plaies à vif. Elle se ressaisit pour s'extraire de cette toile invisible, cherchant plutôt à s'accrocher à sa morgue.

— C'est étrange, non? déclara-t-elle d'un ton cassant.

— Pas plus que de porter le nom de «la Louve», rétorqua l'inconnue avec amusement.

— Touché! concéda Angelika en émettant un rire étouffé malgré elle.

Stupéfiée par sa propre réaction, elle secoua la tête. Elle n'avait pas éprouvé d'autres émotions que la rage et le désir de vengeance depuis belle lurette, et c'en était confondant. Elle qui se croyait réfractaire à tout sentiment du genre, elle en était la première surprise.

— Le cerveau humain fonctionne parfois de manière étonnante. Il peut nous mener sur des sentiers hasardeux, poursuivit la fille aux allumettes avec une profondeur inusitée à un aussi jeune âge.

Remuée par ses paroles, Angelika ravala la boule qui venait de se former dans sa gorge. Pour sa part, elle savait sur quelle voie elle s'engageait dès le départ. Tout ce qu'elle pouvait souhaiter, c'était de ne pas se perdre en route. Y aurait-il une rédemption pour une âme souillée comme la sienne, à la fin de son séjour en ces lieux? Elle l'espérait en secret, malgré sa triste conviction que c'était impossible.

— La lumière et l'ombre font partie d'un tout. Il est facile de franchir la limite qui les sépare l'une de l'autre. Celle-ci est si mince... Plusieurs l'ont compris trop tard.

Angelika cilla à ces paroles lourdes de sens. Qui était donc cette inconnue? Avant qu'elle ne puisse formuler une question, cette dernière lui toucha l'avant-bras en désignant ses pieds.

— Je n'ai rien pour me chausser et il fait froid cette nuit, commença-t-elle d'une voix plus fluette. Accepterais-tu de me donner tes souliers? Je t'en serais reconnaissante.

Déstabilisée par cette demande incongrue, Angelika demeura immobile, l'expression confuse.

— Là où tu te rends, tu n'en auras pas besoin, poursuivit l'étrangère en pointant le spa qui se trouvait dans l'arrière-cour de l'auberge, sous un abri en bois.

Tournant la tête dans cette direction, Angelika vit Manuel Dubois gagner l'endroit en titubant. Curieusement, il n'était plus en compagnie des deux blondes plantureuses qui avaient quitté la table avec lui.

— Il semblerait qu'il ait eu des hallucinations une fois arrivé dans ses quartiers. À ce que j'ai pu entendre en passant devant sa porte, il aurait confondu ses compagnes avec des zombies en décomposition. De quoi refroidir les ardeurs de n'importe quel homme. Les filles ont fui la chambre dans le désordre le plus complet, décrivit-elle avec une pointe de malice.

Angelika comprit tout de suite que ce porc avait commencé à réagir aux champignons qu'elle avait substitués dans le repas du soir, ce qui expliquait ses hallucinations. Elle se rappelait maintenant que ce dernier avait engouffré tout le contenu de son assiette en un temps record, pressé qu'il était de s'isoler avec les deux escortes pour combler un appétit plus charnel.

— La nuit est loin d'être terminée, poursuivit l'étrangère.

Angelika n'avait pas besoin de plus d'incitation, car son cerveau s'activait déjà à l'élaboration d'un plan, mettant sa conscience en veilleuse, alors que son instinct de chasseuse reprenait le dessus. Comme dans un état second, elle retira ses souliers, puis les tendit à la jeune femme. Celle-ci s'en empara et lui donna en échange un paquet d'allumettes.

— Elles guideront ton chemin si jamais tu t'égares dans les ténèbres.

Angelika saisit le paquet après une seconde d'hésitation, non rassurée par la signification de ces paroles. Sans lui dire au revoir, l'étrangère lui tourna le dos et la quitta, disparaissant dans la nuit. Les sens aux aguets, Angelika reporta son attention sur Manuel Dubois. Ce dernier venait de refermer la porte-moustiquaire de l'abri derrière lui. Elle n'avait plus une minute à perdre.

• • •

Vingt minutes plus tard, elle avait tout ce qu'il lui fallait pour l'accomplissement de son plan élaboré en chemin. Dans le panier d'osier qu'elle avait dérobé plus tôt en journée pour cueillir les champignons se trouvaient une pince coupante, une huile de massage, une bouteille de vin avec un verre, un peu de caviar, ainsi que des craquelins. Avant de quitter sa chambre pour s'y dévêtir, elle avait versé un puissant narcotique dans le liquide bourgogne. La quantité était suffisante pour assommer un bœuf. De cette manière, Manuel Dubois n'opposerait aucune résistance, le moment venu.

Pieds nus malgré l'air frais, elle s'avança vers l'abri de bois avec un détachement salvateur. Elle était investie d'une mission qu'il lui fallait mener à terme, quoiqu'il lui en coûte. Sa sensibilité mise en dormeuse, elle ouvrit la porte-moustiquaire avec une lenteur calculée pour permettre à Manuel de remarquer sa présence, mais surtout, pour lui donner l'occasion de détailler ses formes généreuses à demi dissimulées par sa cape rouge, le faisant saliver.

Ce dernier tourna un regard déjà vaseux vers elle à son entrée. En reluquant le corps nu qui s'offrait à lui dans toute sa volupté, il sentit son membre se redresser entre ses jambes. Il ne se souvenait plus très bien de ce qui était arrivé avec les deux blondes plantureuses qu'il avait escortées dans sa chambre, en revanche il savait que son appétit sexuel n'avait pas été assouvi. Il secoua la tête pour tenter de s'éclaircir les idées, mais c'était peine perdue. Il avait l'impression d'évoluer dans un rêve, et cette sirène était plus qu'alléchante.

Se pourléchant les lèvres, il étira un bras vers elle pour repousser l'un des pans de la cape, mais Angelika lui échappa avec aisance. Se départissant de l'étoffe de velours, elle s'assit sur le rebord du spa derrière Manuel afin de pouvoir lui masser les épaules. Les jambes plongées dans l'eau de chaque côté de ses flancs, elle remplit la coupe de vin, se pencha, puis la lui offrit avec grâce, ses longs cheveux cascadant le long de son visage tel un voile enténébré. Manuel fit glisser une mèche entre ses doigts en portant le verre à ses lèvres.

Angelika en profita pour sortir du panier le caviar, y trempa un craquelin qu'elle porta à la bouche de l'homme. Il s'en régala en poussant un petit soupir de contentement, sa nuque appuyée contre l'entrejambe de la jeune femme. Il avait tout son temps, aimant plus que tout étirer le plaisir. Il avala de nouveau une autre grande gorgée en fermant les yeux.

Elle versa un peu d'huile à massage dans sa paume ouverte, l'étendit sur les épaules, le torse, le ventre, puis descendit plus bas, s'assurant au passage que Manuel portait bien son piercing sur son scrotum, à la jonction de son membre. Ce dernier émit un grognement de béatitude lorsqu'elle caressa sa verge sur toute sa longueur, l'excitant davantage. Le lent mouvement de va-et-vient qu'elle effectua le stimula de plus en plus, surtout qu'elle taquinait son gland de manière experte. Le liquide permettait un glissement affriolant sur sa peau. Le souffle court, il but une nouvelle rasade de vin, puis tourna la tête pour happer un mamelon à sa hauteur.

Son imagination s'enflammait, envoyant une décharge de plaisir entre ses cuisses. Il fit rouler la pointe avec sa langue, obnubilé par la forme pleine et arrondie du sein. Il était lourd contre ses lèvres, prometteur de délice. Tout près de l'orgasme, il enroula sa main sur les doigts qui enserraient sa verge pour qu'ils cessent de bouger. Il désirait s'insérer dans la vallée enivrante entre les seins de la gourgandine, se faire caresser par son opulente poitrine.

Se relevant face à Angelika, il continua de boire. Alors qu'elle s'apprêtait à le prendre dans sa bouche, il recula les fesses d'un mouvement brusque, manquant de peu de chanceler par la même occasion. Prenant appui contre la paroi en bois derrière Angelika, il demeura immobile quelques secondes, le temps que sa tête arrête de tourner. Profitant de son égarement passager, celle-ci remplit à nouveau sa coupe à ras bord.

— Je veux que tu masses ma… ma queue avec… tes nichons, balbutia-t-il d'une voix traînante. Tu avaleras… mon sperme jusque… jusqu'à la dernière goutte…

Angelika se contenta de verser un filet d'huile sur sa poitrine, la pétrissant sans vergogne en pinçant ses mamelons, au plus grand bonheur de Manuel. Puis, elle s'empara de son pénis et le logea entre ses seins. Les empoignant de ses paumes, elle les pressa autour du membre dur. Dès qu'elle commença à aller et venir contre la verge, Manuel but son vin d'un trait en profitant du spectacle. La coupe glissa de ses doigts, se fracassant contre le rebord du bain à remous sans qu'il en ait conscience.

Le plaisir remonta en flèche, le faisant trembler. Toutefois, la délivrance ultime lui échappait. Il serra les mâchoires, le corps crispé. Il aspirait à une jouissance libératrice. Les sens de plus en plus embrouillés, il perdit l'équilibre et tomba lourdement à genoux dans l'eau. Il n'arrivait plus à se tenir sur ses jambes, mais sa verge était dure comme un bâton de base-ball. Confus, il ne remarqua pas qu'Angelika sortait ses jambes du spa et qu'elle ouvrait avec précaution le panneau de contrôle.

D'une main experte, elle mit le moteur en arrêt et tira sur deux des fils du câblage pour les déloger. Une fois qu'elle y parvint, elle dégagea leur extrémité avec une pince coupante, dénudant la gaine qui recouvrait les bouts. Elle s'exécutait avec une efficacité exemplaire en jetant des coups d'œil succincts vers Manuel afin de s'assurer de son état. Celui-ci avait perdu tout contact avec la réalité. Il ne voyait plus rien, n'entendait plus un bruit, son corps entier trop lourd pour bouger, sa tête emplie d'un brouillard cotonneux. Tout au plus percevait-il la sensation de l'eau autour de lui.

Au bout de quelques minutes, une main s'empara de son pénis et le manipula, l'excitant derechef. Il souhaitait tant jouir qu'il en aurait hurlé de frustration, mais sa bouche était pâteuse et ne parvenait pas à articuler le moindre mot. Puis, des doigts glissèrent vers son piercing, celui qui lui procurait un plaisir unique lorsqu'il enfourchait un joli minois chaud et humide. Il ressentit un léger pincement, comme si quelqu'un tirait sur le bijou en question. On fit une entaille profonde sur la peau de son torse avec un objet coupant, lui arrachant à peine une grimace. Du sang s'écoula de l'estafilade. Une langue lécha le mince filet vermeil et l'aspira. Le goût ferreux se répandit dans la bouche d'Angelika, puis descendit dans sa gorge.

— Va brûler en enfer, salaud, murmura-t-elle en remettant le courant après avoir reculé.

En une seconde, l'énergie s'engouffra dans le câblage électrique, puis se diffusa sur l'anneau de métal, là où l'extrémité des fils avait été fixée. Manuel eut le sentiment que sa verge explosait, consumée par une chaleur atroce. Ses lèvres s'ouvrirent sur un cri muet, son souffle se bloqua, alors que les traits de son visage se déformaient sous la souffrance insoutenable. Pris de convulsions, il glissa sous l'eau. Même si les fils se détachèrent sous l'effet des spasmes musculaires violents, il n'en demeurait pas moins submergé par l'onde.

Son corps se tordit dans tous les sens, ses yeux se révulsèrent, ses doigts se crispèrent. Dès que l'électricité atteignit le cœur, celui-ci cessa de battre dans la seconde. Au moment de mourir, Manuel sentit une main glaciale l'étreindre, tel un spectre s'emparant de son âme. Angelika contempla l'homme agité d'un dernier soubresaut avec une indifférence totale, comme si la partie la plus sombre de son être se nourrissait de cette scène puis s'en détachait. D'un geste automate, elle coupa le courant, tira sur les fils pour les sortir de l'eau.

Faire disparaître les traces de son méfait ne fut pas long, comme cela avait été le cas pour Vincent Dumont. Il lui suffisait de s'assurer qu'il n'y ait plus d'éclats de verre sur place. Avec un peu de chance, la mort des deux hommes ne serait pas découverte tout de suite. Après tout, la météo prévoyait une journée pluvieuse pour le lendemain, ce qui risquait de tenir les invités loin du spa. Étant à bonne distance de l'auberge, personne ne verrait le corps flottant derrière la fine moustiquaire et les panneaux de bois.

Endossant sa cape, elle rabattit le capuchon sur sa tête, puis quitta les lieux silencieusement comme elle était venue.

CHAPITRE 10

On l'appelait le Petit Chaperon rouge

Olivier était accoudé à la balustrade du balcon du deuxième étage. L'esprit à la dérive, il contemplait la nuit. Maintenant qu'il était revenu de sa frayeur passagère avec le loup, il pouvait se concentrer de nouveau sur son enquête.

Depuis son arrivée sur place, il n'avait rien remarqué d'étrange, si ce n'était que deux ou trois invités avaient été malades en fin de soirée. Un des mets servis durant le repas n'était sans doute pas frais. Par bonheur, les membres du personnel avaient mangé un plat différent des convives. Heureusement, car il n'aurait pas apprécié devoir se sustenter de testicules de mouton. À cette seule pensée, il grimaça. Ces gens de la haute société avaient parfois des goûts bizarres. Dans son cas, un bon steak cuit sur le gril avec une sauce au poivre était imbattable.

Le coin de ses lèvres s'étira en signe de dérision. Les préférences gastronomiques inusitées n'étaient pas l'unique particularité des hommes présents. Leur appétit pour le sadomasochisme en était une autre de taille. Il avait lui aussi quelques fantasmes sexuels, mais rien de comparable à la dépravation de cette racaille.

Ces salopards se cachaient sous leur complet et leur fausse respectabilité pour commettre des atrocités en toute impunité, et il s'avérait que les plus vicieux d'entre eux se trouvaient justement à l'intérieur des murs de cette auberge. De quoi lui donner l'envie de faire fi de la justice et de les abattre sur-le-champ. Sauf qu'il était assujetti à la loi, ce qui le mettait à rude épreuve. Frustré, il lâcha une bordée de jurons.

— Est-ce le langage usuel recommandé dans vos fonctions? lui demanda une voix juvénile, sortie de nulle part.

Olivier sourcilla en se maudissant pour sa négligence. Par réflexe, il porta une main à sa hanche pour saisir son arme, mais baissa son bras à la vue de la jeune femme d'allure gothique. Sans doute l'une des nombreuses jeunes en fugue qui aboutissait dans le cartel de St-Cyr. Habitué à cette réalité sordide, il hocha la tête avec désillusion.

— Il est imprudent de surprendre un homme de cette manière, petite, la rabroua-t-il pour la prévenir.

— J'ai confiance en vous, sergent St-Germain…, dit-elle avec une lueur amusée dans les yeux.

Il se crispa aussitôt en jetant un regard aux alentours. Il ignorait de quelle façon cette inconnue avait pu deviner sa véritable identité, mais il n'aimait pas ça. Était-il tombé dans une embuscade? Des brutes l'attendaient-ils dissimulés dans l'ombre, prêts à fondre sur lui? Il savait ce qu'Arnaud St-Cyr lui ferait subir s'il découvrait qu'Olivier avait infiltré son organisation. Après l'avoir soumis à un interrogatoire musclé, il se débarrasserait vite fait de sa dépouille dans les bois.

Ravalant sa fureur, il reporta un visage implacable sur l'inconnue, à la recherche de toute duplicité chez elle. Il se devait de garder les idées claires. Ses doigts se refermèrent sur le coude de cette dernière, l'agrippant avec dureté.

— Qui es-tu? siffla-t-il entre ses dents serrées.

— Nul besoin de vous inquiéter, sergent, commença-t-elle d'un ton léger.

— Cesse de m'appeler ainsi! lâcha-t-il en la secouant.

La tension qui l'habitait frappa la nouvelle venue de plein fouet. L'homme semblait sur le point de se jeter sur elle pour la faire taire. Il n'y avait plus matière à s'amuser.

— Je suis désolée de vous avoir causé un tel émoi, répondit-elle avec esprit, tout en esquivant sa question au sujet de son prénom.

— Bon sang! À quoi joues-tu, petite? s'impatienta-t-il, croyant qu'elle se moquait de lui.

— Je ne joue pas, sergent, répliqua-t-elle en le confrontant du regard. Je suis l'un de vos informateurs, poursuivit-elle en craquant une allumette pour le plaisir.

Olivier réfléchit une bonne minute avant de réagir. Les narines frémissantes, il plissa les yeux en la scrutant. Il n'avait aucune envie d'abaisser sa garde, surtout qu'il se trouvait en sol ennemi. L'étrangère poussa un soupir théâtral, puis releva un sourcil condescendant.

— Vous pensez vraiment que je prendrais le risque de vous aborder de cette manière si ce n'était pas le cas?

Malgré sa suspicion, Olivier la relâcha, puis croisa les bras sur sa poitrine, enfermé dans un mutisme prudent. Il souhaitait avoir une preuve confirmant son identité.

— Vous êtes dans de sales draps, sergent. Les cadavres se multiplient sous votre nez, et vous n'en avez même pas connaissance.

— Qu'est-ce que tu veux dire? gronda-t-il.

La jeune femme leva les yeux en l'air en reniflant. L'enquêteur commençait à l'agacer, avec sa méfiance maladive. Elle en eut pitié. Le pauvre, il ignorait ce qui l'attendait!

— Si j'étais vous, j'irais voir du côté du chenil. Un carnage a eu lieu chez les rottweilers. J'espère que vous n'avez pas mangé de couilles de mouton pour le repas. Selon toute vraisemblance, la recette initiale aurait été bonifiée d'un ingrédient secret plutôt insolite, termina-t-elle avec une ironie caustique.

De plus en plus confondu, Olivier ébouriffa son épaisse chevelure avec exaspération. Cette inconnue parlait par énigmes et paraissait en savoir un rayon sur ce qui se déroulait dans les parages ; rien pour le rassurer. Ayant lui-même remarqué une certaine agitation en direction du chenil, il devinait qu'elle disait la vérité.

— L'autre informateur, celui qui vous renseigne de l'intérieur, est instable. Soyez sur vos gardes, sergent, le prévint-elle, soudain plus sérieuse. Je vous aime bien. Je ne voudrais pas qu'il vous arrive malheur...

Là-dessus, elle tourna les talons, le laissant en plan. Avant de franchir le seuil de la porte de l'auberge, elle se retourna, le regardant par-dessus son épaule.

— Si vous trouvez l'identité du Chaperon rouge, commença-t-elle en pointant du doigt le spa sur leur gauche au fond de la cour, vous aurez un avantage sur ces crapules.

Sans un mot de plus, elle pénétra à l'intérieur. Elle regrettait de ne pas pouvoir en dire davantage à l'enquêteur pour faciliter ses recherches. Olivier passa une main sur son visage, ressentant plus que jamais le poids de la fatigue. Alors qu'il dirigeait son attention vers l'endroit que lui avait désigné l'étrangère, il vit émerger de la noirceur une silhouette encapuchonnée, recouverte d'une cape qui la dissimulait en entier. Une incongruité le frappa. La forme mystérieuse portait un panier de pique-nique à son bras.

Reconnaissant l'étoffe sombre que revêtait l'inconnue qu'il avait croisée durant la soirée en compagnie de Vincent Dumont, il se précipita dans l'auberge pour l'intercepter. Il avait l'intime conviction qu'il devait l'identifier, d'autant plus que la fille aux allumettes avait attiré son attention sur elle.

Malgré son empressement, il n'aperçut personne lorsqu'il arriva au premier palier. Aucune trace du Chaperon rouge.

• • •

Angelika bifurqua vers le lac au dernier moment, aspirant plus que tout à un bref sursis. Se servant de sa cape comme d'une couverture, elle glissa l'étoffe sous ses fesses pour s'asseoir dans le sable, ramena ses genoux contre sa poitrine, puis s'enroula du tissu de velours pour se tenir au chaud. Le regard perdu sur l'onde lisse, elle crispa les poings. Une larme traîtresse roula sur sa joue, qu'elle se dépêcha d'essuyer. Elle refusait de ressentir de la compassion pour les hommes qu'elle exécutait. Elle ne devait pas se ramollir, mais plutôt éprouver du détachement pour le destin funeste qu'elle leur réservait. Au diable sa sensibilité! N'était-ce pas ce que son aïeule lui avait dit ce jour-là? Qu'il lui faudrait endurcir son grand cœur pour éviter d'être dévorée par les loups qui rôdaient dans ce monde?

— Grand-mère…, gémit-elle en entourant sa taille de ses bras dans une vaine tentative de réconfort.

Une brûlure aiguë lui rongeait l'âme. Elle se sentait glacée jusqu'à la moelle.

— *Tu dois venger les tiens…*, souffla une voix familière entre les branches.

Les poils d'Angelika se dressèrent et ses cheveux libérés de toute entrave virevoltèrent autour de sa tête.

— *Ces hommes doivent payer,* matriochka, renchérit le murmure venu d'outre-tombe.

Une bourrasque phénoménale fit rider la surface de l'eau, tel un roulement de tambour prenant de l'ampleur, puis frappa Angelika de plein fouet. Sa respiration se bloqua dans sa gorge, un flot dévastateur se déversa dans son corps, la galvanisant. Au même instant, un hurlement monta dans la nuit, suivi de plusieurs autres.

Elle tourna le regard vers la forêt et crut percevoir au-dessus de la cime des arbres le visage d'un loup aux yeux dorés dans le ciel obscur. Puis, aussi vite qu'elle était apparue, la vision se dissipa. Elle se releva d'un bond, les narines frémissantes. Une force irrésistible l'attirait dans les bois. Son sang bouillonnait dans ses veines, ses sens s'aiguisaient comme si elle faisait un avec la nature.

Rapidement, elle s'engouffra dans les ténèbres, marchant à l'aveuglette, guidée par un lien puissant. Confiante, elle déboula, la respiration saccadée, à l'orée d'une petite clairière. À peine fit-elle un pas de plus qu'une masse toute en muscles se jeta sur elle, manquant de peu de la faire basculer vers l'arrière. Par réflexe, elle se rattrapa de justesse en s'agrippant au poil de l'animal. Un museau se souleva à la hauteur de son visage, humant son odeur. Son souffle tiède la réchauffa, faisant fondre la glace qui l'habitait. Puis, son regard croisa celui, plus brillant, de la bête. Ils se soudèrent, plongèrent jusqu'au plus profond de leur être.

Des larmes de bonheur montèrent à ses yeux et brouillèrent sa vue. Elle la retrouvait enfin, cette moitié d'elle qui lui avait tant manqué, la complétant et la nourrissant d'une énergie électrisante. Son cœur se remplit d'allégresse. Ainsi, son fidèle compagnon d'enfance n'était pas mort sous les griffes des rottweilers. Elle frôla sa joue contre le pelage et gratta le cou massif.

Appuyé sur ses épaules, son loup lui donna un coup de langue sur l'oreille, la mordilla sans la blesser. Ils se laissèrent tomber au sol en harmonie, elle à genoux, lui sur ses quatre pattes. Elle enroula ses bras autour de lui, le pressa contre sa poitrine en fermant les paupières. Elle était solitaire depuis si longtemps. Ces retrouvailles l'emplissaient de joie, qui était bienvenue en cette période sombre de son existence.

— *Le lien qui t'unit à lui est puissant,* murmura une voix dans son esprit. *Ne t'avais-je pas dit que le moment venu, il te protégerait du mal ?*

— Merci, grand-mère..., chuchota Angelika en se lovant davantage contre la bête.

Elle n'était plus seule désormais pour affronter l'ennemi. Percevant tout à coup des bruits de pas autour d'eux, elle releva la tête. Effarée, elle écarquilla les yeux. Une meute entière les encerclait, leurs prunelles brillant dans le noir. Un sourire carnassier fleurit sur ses lèvres. La chasse allait commencer...

CHAPITRE 11

C'est pour mieux écouter, mon enfant

L e détective privé Richard Cloutier jeta un dernier coup d'œil discret derrière lui avant d'entrer dans le bar. Ne voyant aucune voiture circuler dans les environs, il en déduisit qu'il n'avait pas été suivi. Avec les années, il était devenu un peu paranoïaque, surtout avec le retour d'Angelika en scène. Non pas qu'il condamnait la petite de vouloir venger les siens et d'exterminer cette vermine d'Arnaud St-Cyr, mais il préférerait parfois ne pas être empêtré dans ce bourbier. Certes, il exerçait un métier hasardeux, mais dans cette enquête, les risques étaient plus considérables qu'en temps normal.

C'était sa discrétion et sa prudence excessive qui les avaient gardés en vie jusqu'à maintenant, Bernard Tremblay, Angelika et lui. Cependant, le vent tournait, il en était conscient. Il avait constaté plus d'une fois qu'une voiture le suivait ou ralentissait en passant devant chez lui. Il était toutefois assez malin pour ne pas conserver de documents compromettants à son domicile ou dans son bureau. Tout ce qui concernait le cartel de St-Cyr se trouvait dans une planque hors de portée de cette racaille, un endroit connu de lui et de Bernard. Par bonheur, l'avocat ne semblait pas avoir été démasqué, sauf que ce n'était qu'une question de temps avant que sa couverture ne soit grillée à son tour.

Arnaud St-Cyr avait fait espionner Bernard dès l'instant où il était allé chercher Angelika au centre de réadaptation, à ses 18 ans. Cette filature les avait conduits jusqu'à la firme où se situait le coffre-fort de Malicia Stojka. Malgré tout, leur piste s'était arrêtée là, car Bernard avait pris soin de se montrer discret par la suite, s'assurant que ses rencontres avec Angelika demeurent secrètes. Aux yeux de tous, il avait fait le travail pour lequel il avait été mandaté par la société qui l'employait, rien de plus. Au bout d'un an de surveillance vaine, St-Cyr avait écarté l'avocat de sa liste de suspects, d'autant plus qu'Angelika avait alors disparu de la surface de la Terre.

En ce qui concernait Richard, la situation s'était révélée différente. Il avait continué d'effectuer des recherches pour le compte d'Angelika, de gratter afin de trouver ce qui se cachait derrière les compagnies «respectables» de St-Cyr. Au début, personne n'en avait eu conscience, mais étant donné qu'il approchait du noyau de corruption et qu'il y avait eu des fuites auprès des policiers, l'attention de l'organisation commençait à se porter sur lui. Qu'en serait-il lorsqu'ils découvriraient qu'Angelika exterminait un à un les six membres responsables du meurtre de sa famille?

La riposte risquait d'être sanglante. Il avait essayé de dissuader la petite de se lancer dans cette entreprise périlleuse, mais elle avait la rage au cœur, comme Malicia Stojka. Impossible de la faire changer d'idée. Elle n'aurait de repos que lorsque ces hommes seraient éliminés.

Il refréna un mouvement d'humeur en entrant dans le bar. Ce n'était pas le temps qu'on le remarque.

Gardant profil bas, il traversa la salle bruyante d'un pas lourd afin d'aller aux commodités, situées à l'arrière du bâtiment. Une femme entre deux âges frôla son torse au passage dans une invite muette. Richard déclina l'offre implicite avec un hochement de tête sec en s'écartant de l'importune au visage maquillé à outrance. Une odeur de fond de bouteille se dégageait d'elle. Dégoûté, il plissa le nez avant de s'engouffrer dans le couloir à peine éclairé.

Il détestait ce genre d'endroit sordide, mais c'était le lieu idéal pour son rendez-vous clandestin. La nuque crispée, il dépassa les toilettes, poursuivit sa route jusqu'à une porte peinte en rouge. Le mot « SORTIE » brillait au-dessus.

D'un coup brusque, il poussa le battant, ne laissant aucune chance à un éventuel agresseur de le cueillir par surprise. Heureusement, il n'y avait personne de dissimulé dans la ruelle poisseuse, mis à part la silhouette familière de Bernard Tremblay. Ce dernier s'éloigna du mur où il prenait appui en l'attendant, émergeant de la pénombre.

— Qu'est-ce qui se passe ? attaqua d'emblée Bernard d'une voix étouffée. Pourquoi prendre le risque de nous rencontrer ?

— J'ai eu la confirmation que St-Cyr avait commencé à enquêter sur moi, le coupa Richard en se rapprochant de lui.

— Merde ! s'écria Bernard en se pinçant l'arête du nez.

— Mes recherches sur leur organisation ont fini par attirer son attention. Tôt ou tard, il découvrira que nous avons eu des contacts, c'est indéniable. Étant donné qu'il a déjà eu des soupçons à ton égard par le passé, il recommencera à vouloir fouiner de ton côté.

— Fais chier ! s'emporta l'avocat en frappant du plat de la main le mur de brique derrière lui.

— Calme-toi, Tremblay ! Ce n'est pas le moment de dérailler.

Bernard darda un regard noir sur lui. Il avait la sensation d'être un lapin sur le point d'être pris en chasse.

— Combien de temps ? s'informa-t-il en lançant un coup d'œil incertain vers l'extrémité de la ruelle.

Il avait l'impression qu'un piège se refermait peu à peu sur lui, faisant grimper d'un cran sa tension.

— Je l'ignore…, mais cela ne saurait tarder, selon moi.

— Saloperie de merde! Je savais que cette histoire finirait par nous éclater au visage! Qu'en est-il d'Angelika?

— Il a aussi monté un dossier sur la Louve, comme c'est le cas avec le nouveau personnel travaillant pour l'organisation. Par chance, il n'a pas encore fait de lien entre les deux.

— Les documents que nous avons falsifiés peuvent soutenir une enquête en superficie, mais ils ne tiendront pas la route si St-Cyr pousse plus loin ses investigations au sujet du passé de la Louve, argumenta Bernard en s'agitant.

— J'en suis conscient! s'impatienta Richard à son tour. Nous devons trouver un moyen de l'évacuer de là, et l'aider à disparaître, le temps que ces fils de putes l'oublient.

— Foutaise, Cloutier! rugit Bernard. On ne parle pas d'un chien qu'il faut sortir du trou dans lequel il est tombé. Je te ferai remarquer qu'il s'agit d'Angelika Stojka. Elle refusera d'entendre raison!

— Qu'est-ce que tu crois, nom de Dieu? s'écria Richard en levant les bras dans les airs avec exaspération. Je le sais pertinemment. Elle est bornée comme sa grand-mère. C'est pourquoi nous allons devoir opérer à son insu.

Bernard plissa les yeux, pas du tout rassuré sur la tournure que prenait cette discussion. S'efforcer de persuader Angelika était une chose en soi, la contraindre, en revanche, promettait de se révéler plus hasardeux. Sans mentionner que son sang tsigane le rendait nerveux. Il était superstitieux. Selon lui, cette dernière possédait un don particulier, tout comme son aïeule. Un frisson le parcourut, annonciateur de trouble.

— Tu risques de déclencher sur nous les foudres de la petite. Je ne tiens pas à être maudit par elle!

— Tu es sérieux, Tremblay? Tu crois à toutes ces chimères? s'informa Richard, éberlué.

— Si j'étais toi, Cloutier, je ne prendrais pas à la légère toutes ces légendes tsiganes. Certains de ces gens ont des facultés qui dépassent notre entendement, Malicia Stojka en était un parfait exemple. Je te ferai remarquer qu'Angelika est sa descendante. Je ne serais pas surpris qu'elle détienne des aptitudes similaires.

— Tu te moques de moi, Tremblay! s'exclama Richard, de plus en plus abasourdi.

Pour toute réponse, ce dernier se referma dans un mutisme révélateur. Trop de fois, il avait eu la sensation que Malicia Stojka voyait à travers lui, à l'époque. Elle avait été l'unique personne à lui donner la chair de poule d'un seul regard, du moins, jusqu'à sa rencontre avec Angelika Stojka, trois ans auparavant.

— Très bien, n'en parlons plus, soupira Richard en se frottant les yeux. Malgré tout, le problème reste entier. Comment allons-nous procéder pour extirper la petite des griffes de St-Cyr avant qu'il ne découvre sa véritable identité?

Un pli se forma sur le front de Bernard. Il était dépassé par les événements. Il devait prendre la peine d'y réfléchir sérieusement, mais pas dans cet endroit infect.

• • •

Olivier revêtit son imperméable par-dessus son chandail, puis rabattit le capuchon noir sur sa tête afin de se protéger du crachin qui tombait dehors. Des émotions contradictoires se départageaient en lui, alors que des questions sans réponse tournaient en rond dans son esprit. Pour commencer, il y avait eu le départ précipité de St-Cyr lors du repas de la veille, ensuite sa rencontre angoissante avec le loup, puis enfin, l'apparition étrange de cette jeune femme d'allure gothique. Son discours confondant l'avait perturbé, tout comme cette aura énigmatique qui entourait la femme recouverte d'une cape rouge.

Frustré, il grommela pour lui-même. Il s'était arrangé pour être celui qui effectuerait la ronde à l'extérieur. Aucun des gardes ne désirait s'aventurer au-dehors, avec ce temps pluvieux. Il lança un regard vers les premières lueurs de l'aurore visibles à l'horizon. Il aurait voulu pouvoir examiner l'intérieur de la cabane de bois qui abritait le spa plus tôt, mais il lui avait été impossible de tromper la vigilance des autres surveillants. Il avait donc attendu qu'une occasion se présente et s'était empressé de la saisir au passage. La visite de ce «Chaperon rouge» en ces lieux au cœur de la soirée l'avait rendu suspicieux. Il doutait qu'elle y soit allée pour prendre un bain de minuit. Un élément clochait en ce qui la concernait, et il n'arrivait pas à mettre le doigt dessus, ce qui l'exaspérait. Il détestait buter sur un problème. Par précaution, il avait fait un détour par sa chambre pour y chercher son *kit* d'expertise. Mieux valait être préparé à toute éventualité.

Lorsqu'il sortit de l'auberge, le ciel était lourd de nuages gris. Une fine brume flottait au-dessus de la terre, masquant en partie le sol spongieux gorgé de pluie. L'air frais était revigorant, réveillant ses sens. Il enfonça ses mains dans ses poches, puis avança d'un pas vif.

Alors qu'il approchait de l'abri quatre saisons, il perçut des déplacements furtifs en bordure de la forêt. Son cœur fit un bond dans sa poitrine, et son imagination s'emballa. S'agissait-il du loup qu'il avait croisé la veille? Tendant l'oreille, il demeura aux aguets. Il distinguait plusieurs bruits. Gagné par une crainte irraisonnée, il abaissa la fermeture éclair de son manteau afin de pouvoir y glisser les doigts et atteindre l'étui qu'il portait en bandoulière.

En agrippant la crosse de son pistolet, il se sentit déjà beaucoup plus rassuré. Avec d'infinies précautions, il sortit son arme, désengagea le cran de sûreté, prêt à faire feu. Cette fois-ci, il ne se ferait pas prendre à l'improviste. Redressant l'échine, il observa les environs. Il détestait les surprises, à plus forte raison celles dans ce genre. Il n'était pas dit qu'il se laisserait intimider par une sale bête sans réagir.

Il se retourna d'un bloc; une branche venait de craquer derrière un buisson. Par malheur, la forêt était trop sombre pour qu'il puisse y distinguer quoi que ce soit, et il était hors de question qu'il s'y hasarde pour vérifier qui s'y cachait.

«Autant se jeter dans la gueule du loup», songea-t-il en esquissant un sourire amer.

— Foutre Dieu, murmura-t-il entre ses dents.

Les bois n'étaient pas sûrs, avec cette bête qui rôdait dans les environs. D'autant plus s'il était accompagné d'une meute. Il allait devoir en aviser les invités, ainsi que le personnel de l'auberge. Il ne désirait pas retrouver un innocent égorgé par l'un de ces animaux sauvages. Tendant l'oreille à nouveau, il chercha à localiser l'intrus, mais celui-ci semblait avoir disparu sans laisser de trace. Seul le silence l'entourait désormais.

Par précaution, il demeura immobile, son pistolet chargé. Un soupir s'échappa de sa poitrine en comprenant que tout danger était écarté. Le corps raide, il reporta son attention sur le cabanon et franchit la distance qui le séparait de l'abri à grandes enjambées. Une très vague odeur de chair grillée flottait dans l'air, à travers les moustiquaires. Prudent, il ouvrit la porte avec lenteur, puis entra. La découverte qu'il fit le secoua. Il en avait vu, des horreurs, durant ses années de services, mais celle-ci dépassait l'entendement.

— Bordel de merde! s'écria-t-il en reculant d'un pas.

Rengainant son arme, il gagna le panneau de contrôle entrebâillé pour s'assurer que le courant était coupé, puis s'approcha du corps. Lorsqu'il se pencha au-dessus de la dépouille, il proféra une nouvelle bordée de jurons en apercevant les parties génitales carbonisées de Manuel Dubois. Un goût de bile remonta dans sa gorge. D'emblée, il se détourna du spectacle macabre, la bouche crispée dans une grimace. Rien que d'imaginer la douleur foudroyante que l'homme avait dû endurer avant de mourir lui sciait les jambes.

— C'est quoi, ce putain de bordel? rugit-il en parcourant l'endroit des yeux.

Nul besoin de vérifications plus poussées pour deviner la cause du décès. Il n'y avait qu'à voir les fils dénudés qui sortaient du panneau de contrôle et l'état du bonhomme. De toute évidence, ce dernier avait trouvé plus tordu que lui. Désireux de recueillir des preuves avant que la scène de crime ne soit contaminée par des personnes extérieures, il prit une paire de gants en latex de l'une des poches de son imperméable et les enfila. Puis, il s'accroupit pour observer le sol de plus près, une mini-lampe torche en mains.

Il promena le faisceau lumineux avec lenteur afin d'éclairer les zones plus sombres à cause de la pénombre qui régnait sur les lieux. Au bout de quelques secondes, un objet attira son attention. Il s'agissait d'un morceau de verre. Il s'en empara avec une pince, le laissa tomber dans un tube de collecte qu'il venait de sortir d'une pochette de tissu. Saisissant ensuite un ruban autocollant spécial, il l'appuya contre la poignée du panneau de contrôle électrique pour en prélever une éventuelle empreinte.

Avec un peu de chance, il serait en mesure de déterminer l'identité du meurtrier avec ces éléments. Il lui suffisait de ramener le tout au poste.

Il en était à ses réflexions quand soudain, il se souvint d'un détail au sujet de la femme qu'il avait remarqué de dos la veille en compagnie de Vincent Dumont. Celle-ci portait également une cape. S'agissait-il d'une simple coïncidence, ou y avait-il matière à suspicion? Se remémorant abruptement les paroles de la jeune femme d'allure gothique, il raidit les épaules. Ne l'avait-elle pas prévenu que les morts s'accumulaient sous son nez? Il y en avait donc d'autres.

— Merde!

Appréhendant le pire, il abandonna la scène pour partir à la recherche de Vincent Dumont. Il commencerait par les quartiers de ce dernier. Il contracta la mâchoire. Se pouvait-il que l'une des escortes soit à l'origine de ce crime crapuleux? Il n'osait l'imaginer. Dans sa hâte, il ne vit pas Paul Boucher, armé d'un fusil de chasse, quitter l'auberge par la porte arrière.

Angelika, qui se tenait tapie derrière un arbre non loin de là, afficha un sourire narquois lorsqu'elle aperçut Paul Boucher. Regardant par-dessus son épaule, elle plongea ses prunelles dans celles de son loup. Un message silencieux passa entre eux. Leur proie allait sous peu s'engager sur leur territoire.

CHAPITRE 12

Sa voracité satisfaite,
le loup retourna se coucher

L a brume recouvrait les environs, donnant un aspect fantomatique à la végétation ambiante. Paul arma son fusil de chasse, les sens à l'affût. Il avait attendu que le jour se lève pour effectuer une fouille dans les bois adjacents, au cas où le responsable du massacre de ses chiens y ait trouvé refuge. Pendant ce temps, David et Léopold s'occupaient de récolter des informations parmi le personnel de l'auberge, alors qu'Arnaud travaillait de concert avec leurs hommes les plus fiables pour s'efforcer de trouver des indices auprès des autres membres. Le tout devait être mené avec discrétion pour ne pas alerter le coupable.

Paul s'enfonça dans la forêt, la rage toujours au cœur. Il n'avait pas décoloré depuis la découverte macabre de ses bêtes charcutées. Qui que soit l'individu qui s'en était pris à ses rottweilers, il paierait au centuple.

Un bruit attira inopinément son attention. Plissant les yeux, il scruta les alentours. Soudain, son regard capta un mouvement furtif sur sa droite, derrière les branches d'un sapin. Mais lorsqu'il contourna l'arbre, il ne vit rien. Dans un soupir frustré, il prit appui au tronc, son fusil posé à côté de lui. Machinalement, il sortit un couteau de chasse de son étui et s'en servit pour couper une lanière de la pomme qu'il avait dans sa poche.

Il mastiqua avec indifférence, son attention rivée sur le paysage. Dès qu'il eut terminé de manger, il lança le cœur du fruit à l'aveuglette, puis glissa la lame à sa place. Un bruit de course précipitée retentit à l'endroit où avait atterri le détritus. Un petit animal apeuré, sans doute. Le rictus sardonique qui étirait ses lèvres se figea. Il venait de percevoir un son étouffé derrière lui. S'emparant de son fusil, il fit volte-face. Deux prunelles perçaient la brume.

Il tiqua en découvrant le loup qui l'observait entre les rameaux d'une épinette. Un grognement sinistre jaillit de la poitrine de la bête alors qu'il le fixait. Paul se dressa de toute sa hauteur afin de lui indiquer qu'il ne l'effrayait pas. Levant son canon dans sa direction, il arma le chien, prêt à faire feu. Sa fourrure serait parfaite sur le dossier de sa causeuse.

L'animal poussa un hurlement grave, démontrant ainsi qu'il était le chef. Un second en fit tout autant sur une note plus haute, suivie de plusieurs aboiements. Paul sentit un frisson glacial monter le long de sa colonne vertébrale. Une meute entière demeurait cachée dans les bois, et il lui était impossible d'en estimer le nombre. Un froid létal tétanisa ses membres, alors que son cœur bondissait contre sa poitrine. Les traits crispés, il évaluait ses chances d'en réchapper. S'il tuait l'alpha, est-ce que les autres prendraient la fuite? Il l'ignorait.

Un grognement sinistre s'échappa de la gueule du loup, provoquant une décharge électrique chez Paul sous la poussée de l'adrénaline qui se diffusait dans ses veines. Il déglutit avec difficulté, l'euphorie de la chasse dissipée. Maintenant qu'il était devenu une proie potentielle, il n'éprouvait plus aucune exultation. Au contraire, il lui semblait que les secondes s'égrenaient avec une lenteur pénible. Se risquant à reculer d'un pas, il se figea net quand une seconde série de hurlements retentit. Il avait la désagréable impression d'être piégé comme un rat.

— Maudites bêtes, souffla-t-il.

— Ils sont pourvus d'une noblesse qui vous fait défaut, décréta une voix mystérieuse.

Paul tourna la tête vers la droite, confus. Une silhouette féminine émergea de la brume, sa cape rouge frôlant le sol de manière presque irréelle. Un banc de brouillard tourbillonna autour de ses pieds. Chose surprenante, l'inconnue s'arrêta à la hauteur de l'alpha, puis caressa son cou d'un geste familier.

— Étonnant de voir jusqu'à quel point les loups éprouvent un désir de vengeance, tout comme nous. Ils ont aussi une très bonne mémoire, insista-t-elle.

— C'est quoi, cette connerie ? s'insurgea Paul en retrouvant son aplomb.

— L'heure du châtiment est venue…, rétorqua Angelika en découvrant sa tête du capuchon.

Déstabilisé par cette apparition inattendue, Paul demeura coi, le regard rivé sur le visage familier. Que faisait cette emmerdeuse, au juste ?

— Depuis quand les putes font-elles joujou avec ces bêtes ? déclara-t-il avec mépris.

En guise de réponse, l'alpha s'avança d'un pas menaçant en montrant une série de dents meurtrières. Paul tressaillit. Il était complètement largué. Pour un peu, il aurait pu croire que l'animal était attaché à cette fille, la protégeait comme si elle faisait partie de sa meute. Ce qui n'avait aucun sens. Il s'apprêtait à l'invectiver de nouveau, lorsqu'elle prit les devants.

— Tu ignores qui je suis, n'est-ce pas?

L'expression perplexe qui s'afficha sur le visage de l'homme confirma ce que pensait Angelika.

— Je suis la petite-fille de Malicia Stojka, l'enfant que tes chiens ont poursuivie dans les bois il y a 12 ans.

La dureté de sa voix claqua tel un coup de fouet dans l'air. Paul resserra d'instinct son emprise sur la crosse de son fusil.

— Ce loup est mon ami, celui qui m'a protégée de tes rottweilers, alors que l'un d'eux me déchiquetait la cuisse. Une plaie affreuse qui a mis des semaines à cicatriser.

Le regard du scélérat se porta sur ses jambes, comme à la recherche de cette preuve. Angelika eut un éclat de rire sardonique qui n'augurait rien de bon.

— C'est fantastique de voir ce que la chirurgie et une somme considérable d'argent peuvent réaliser de nos jours. Plus aucun stigmate disgracieux ne marque ma chair, aujourd'hui.

Un mauvais pressentiment prit Paul au dépourvu. Si cette garce se risquait à lui dévoiler la vérité à son sujet, c'est qu'elle prévoyait se débarrasser de lui. C'était même une certitude. Restait à savoir de quelle manière. Coupant court à ses pensées, Angelika eut une expiration dédaigneuse à son encontre.

— Vincent Dumont et Manuel Dubois ont déjà payé de leur vie le meurtre crapuleux de ma mère et de ma grand-mère, cracha-t-elle avec rancœur. L'un étranglé de mes mains, l'autre les couilles électrocutées.

Un muscle tressauta sur la joue de Paul. Le corps tendu, il la fusilla du regard. Il était sur le point d'exploser.

— Oh! En parlant de testicules… J'espère que tu as apprécié le mets assaisonné d'une touche de rottweilers, hier soir…

— Espèce de salope! rugit Paul.

Oubliant toute prudence, il dirigea son arme vers elle pour l'abattre. Le devançant, l'alpha se jeta sur Paul et lui laboura le ventre de ses griffes acérées, traversant sans aucune difficulté l'épaisseur de vêtements. Le coup de feu partit tout de même, mais rata sa cible. Un morceau de bois éclata non loin de la tempe d'Angelika.

Sous la douleur cuisante, Paul émit un cri strident, puis échappa son fusil dans l'herbe. D'instinct, il porta une main à sa plaie. Quand il leva sa paume devant ses yeux, il constata avec effarement que ses doigts étaient poisseux de sang. L'odeur métallique excita le reste de la meute, provoquant de nouveaux hurlements. Il s'agissait d'un avertissement pour signaler aux autres prédateurs des environs qu'ils partaient en chasse.

Pour la première fois de sa vie, Paul fut paralysé par la peur, une terreur vicieuse qui lui tordait les boyaux.

— Cours, sale porc, si tu veux sauver ta peau, susurra Angelika d'un ton lugubre. Je t'octroie une minute de sursis. C'est davantage que ce que vous m'avez accordé par le passé.

Une sueur froide perla sur le front de Paul. Il savait que les possibilités d'en réchapper s'avéraient minces, mais il devait saisir sa chance. Si une fillette de 9 ans avait échappé à sa meute de rottweilers avec la seule aide d'un louveteau, il pouvait peut-être y arriver avec sa vivacité d'esprit et ses armes.

Animé par le désir de vivre, il s'élança dans le brouillard, une main plaquée contre son ventre. Du sang dégoulina sur le tapis de feuilles desséchées sur son chemin, alors que la forêt qui l'environnait semblait se refermer sur lui, le ralentissant dans sa progression. Il maudit le sort de l'avoir conduit dans ce piège, et cette gueuse de vouloir provoquer sa perte. S'il sortait indemne de cette histoire, il se promettait de lui faire subir les pires tourments.

Au bout de ce qui lui parut une éternité, il s'arrêta pour prendre appui contre un arbre afin de reprendre son souffle. Sa poitrine se soulevait à un rythme effréné, un point sur le côté l'élançait, sans parler de sa blessure qui lui faisait un mal de chien. La respiration courte, il ferma brièvement les paupières en retenant un gémissement. Avec inquiétude, il perçut un bruit de course endiablée. Les loups se rapprochaient.

Dissimulé derrière le tronc, il risqua un coup d'œil pour s'assurer que les bêtes n'avaient pas encore retrouvé sa trace, mais il ne se faisait pas d'illusion. Ces prédateurs étaient maîtres dans l'art de la traque. Son unique moyen d'en réchapper était de trouver un abri surélevé. S'il parvenait à les distancer, il aurait le temps d'atteindre la cache située tout près dans la clairière. Le garde forestier de l'auberge lui avait indiqué l'emplacement sur une carte la veille, lui racontant qu'il l'avait lui-même construite pour observer le déplacement des cerfs en vue de la saison de la chasse. Il s'agissait d'une cabane sommaire, bâtie en hauteur. On y accédait par une échelle en bois, impossible à grimper pour un animal à quatre pattes de la grosseur d'un loup. Ne lui resterait plus que la gueuse à affronter. Rien d'inquiétant au regard de sa stature, surtout qu'il possédait des armes : son couteau, ainsi qu'un pistolet à la taille.

Reprenant sa course, il s'élança en direction de ce qui lui semblait être le bon chemin. Toujours en mouvement, il se retourna à moitié pour vérifier ses arrières. Ce faisant, il ne vit pas la souche qui sortait de la terre. Il trébucha dessus, puis s'affala de tout son long dans un grognement rauque. Un hurlement retentit tout prêt, lui donnant des frissons. Au moment de se redresser, il perçut une présence au-dessus de lui. Une douleur fulgurante le transperça lorsque des dents pointues s'enfoncèrent sans pitié dans son épaule droite, y arrachant un morceau de chair sanguinolent. Il poussa un cri misérable.

Avant que la bête n'attaque de nouveau, il roula sur lui-même en gémissant, et parvint à saisir le pistolet dans son étui. Il n'eut pas le temps de l'armer, mais put du moins se servir de la crosse pour frapper le museau du loup avec une force décuplée par son instinct de survie. L'animal recula en glapissant. Paul se releva en vitesse pour fuir. Reléguant sa souffrance en arrière-plan, il fila vers la clairière qu'il apercevait entre les feuillages, à quelques mètres de sa position. Plusieurs branches craquèrent sous les pattes de la meute lancée à sa poursuite.

Émergeant des bois, il poussa son corps au-delà de ses limites dans une tentative ultime de sauver sa peau. Des points lumineux dansaient devant ses yeux, sa gorge était sèche, sa poitrine brûlait tout comme son épaule droite, dont le bras devenait de plus en plus lourd contre son flanc. Sa vue se brouilla. Ce fut de peine et de misère qu'il distingua la forme floue d'une échelle en avant de lui.

Dès qu'il y parvint, il sauta sur le deuxième barreau, y grimpa aussi vite qu'il le put. Des dents claquèrent dans le vide à quelques centimètres à peine de ses mollets. Il poussa un cri mêlé de rage et de désespoir. En atteignant le palier plus haut, il s'y laissa choir en haletant. Il lui fallut quelques secondes de répit avant d'être en mesure de s'asseoir sur ses genoux et de ne plus ressentir l'envie de vomir tripes et boyaux.

En bas, la meute s'était assemblée au pied de l'échelle pour le cerner. Ils étaient une douzaine à grogner après lui. De sa manche, Paul essuya la sueur qui coulait dans ses yeux. Levant son pistolet d'une main tremblante, il tira. La balle atteignit sa cible ; l'une des bêtes glapit de douleur en s'enfuyant. Un long hurlement lui fit dresser les cheveux sur la tête. Avant qu'il ne puisse faire feu une seconde fois, le groupe se dispersa sous le couvert des arbres. Paul eut un rire dérisoire. En visant bien, il pouvait éliminer une partie d'entre eux, mais tôt ou tard les munitions finiraient par manquer. De plus, il lui fallait agir rapidement, s'il souhaitait ne pas se vider de son sang.

— Où es-tu, salope? mugit-il, furieux. Je sais que tu es là, à te cacher derrière ton loup! Montre-toi! rugit-il de plus belle.

Un silence lourd l'environna, comme si toute vie avait déserté les lieux. Il porta un regard fiévreux tout autour de lui.

— Putain, c'est pas vrai! explosa-t-il avec colère.

Il nuirait à sa cause, en s'emportant de la sorte. Il devait retrouver un semblant de lucidité pour réfléchir à sa situation. Prenant une profonde inspiration, il s'obligea au calme. Il lui fallait panser ses blessures dans un premier temps, même si cela signifiait de se départir d'une couche de vêtement. Dézippant son imperméable, il se contorsionna pour s'en défaire. Une bordée de jurons lui échappa, entrecoupée de grognements douloureux.

Il n'y comprenait rien. Comment le loup de cette gueuse pouvait-il être encore en vie après toutes ces années? Même s'il avait été un louveteau au moment du meurtre de Malicia Stojka, c'était inenvisageable, d'autant plus qu'il s'agissait d'une bête énorme et puissante. Tout au plus aurait-il dû se retrouver devant un animal affaibli, trop vieux pour représenter une menace sérieuse.

— J'ignore à quoi tu joues, pauvre idiote, commença-t-il avec cynisme, mais une chose est certaine..., ça ne peut pas être le même loup que celui de ton enfance!

Un rire caustique accueillit ses paroles. Paul chercha à repérer sa position, mais elle demeurait hors de portée.

— Il est unique. Il n'a pas d'âge. Lui et moi sommes unis par un lien surnaturel que tu ne pourrais pas comprendre.

Comme pour confirmer ses propos, une masse lourde atterrit sur le toit de la cabane, le prenant par surprise. Paul releva brusquement la tête, l'estomac noué.

— C'est impossible…, murmura-t-il avec incrédulité. C'est beaucoup trop haut! s'écria-t-il avec plus de force.

D'emblée, une bête débloula à l'intérieur depuis une ouverture dans le plafond. Son regard croisa celui de l'animal. Il écarquilla les yeux de terreur en voyant sa propre mort se refléter dans les prunelles dorées. Avant même qu'il puisse faire feu, des griffes labourèrent son visage. Il tomba à la renverse dans un hurlement à glacer le sang, la chair molle de ses joues pendant dans le vide, son œil gauche à moitié arraché de son orbite. Dans une ultime tentative de se protéger, il leva la main devant lui.

— NON! cria-t-il.

Attrapant son poignet dans sa gueule, le carnivore le tira jusqu'à la porte, puis le poussa en bas de la cache. Paul atterrit sur le flanc dans un craquement lugubre, les membres dans une position inhabituelle. L'alpha sauta à ses côtés dans un bond souple, puis se jeta à sa gorge. À l'instant où ses crocs se refermaient sur la trachée dans une étreinte mortelle, le reste du groupe se ruait sur le corps parcouru de convulsions pour s'acharner dessus avec frénésie. Dans un gargouillis sinistre, le dernier râle de Paul se perdit dans les grognements de la meute, qui se repaissait de sa chair.

Quand le chef releva la tête en direction d'Angelika, il avait le museau rougi du sang de sa victime. Angelika s'agenouilla, les mains croisées sur ses cuisses, sa cape étalée dans l'herbe humide en corolle, telle une étendue écarlate. Son loup vint la rejoindre avec lenteur, puis s'accroupit à sa droite, le temps que les siens assouvissent leur faim.

CHAPITRE 13

Plus loin dans l'intérieur de la forêt...

O livier eut un choc en pénétrant dans les quartiers de Vincent Dumont. Son passe-partout de l'auberge lui avait permis d'ouvrir la porte de ce dernier sans attirer l'attention sur lui. Toutefois, il ne s'était pas attendu à cette scène.

L'homme était allongé sur son lit, le corps arborant cette rigidité caractéristique des cadavres. Il devait avoir trépassé depuis plusieurs heures. Le fait que deux victimes se soient retrouvées en compagnie de ce Chaperon rouge avant de mourir ne relevait plus du simple hasard. Cette femme devait être impliquée dans ces meurtres tordus.

Pour ajouter au mystère, il n'avait pas revu la petite d'allure gothique depuis la veille. Il avait pourtant gardé un œil ouvert en se rendant à la chambre de Dumont. Il avait même fait un détour par la salle à manger et la pièce de séjour. Tout ce qu'il avait remarqué, c'était deux hommes qui sirotaient leur café à la table à manger. Il se frotta les yeux, harassé. Un élément clochait en ce qui concernait l'étrange jeune femme. Étant donné que c'était la première fois qu'il la voyait à l'intérieur du réseau, il s'interrogeait d'autant plus à son sujet, qu'elle semblait en connaître un rayon sur l'organisation. Troublé, il s'approchant du lit d'un pas agité.

— Nom d'un chien! s'exclama-t-il devant l'ampleur du désastre.

Toute cette histoire prenait une tournure des plus incompréhensibles. Reléguant ses préoccupations au second plan, il se concentra sur l'inspection des lieux. Il s'exécuta avec minutie, puis s'empara d'un coton-tige et d'un sachet en plastique dans ses poches. Il frotta, non sans inconfort, le pénis du cadavre pour tenter d'y récupérer une substance organique susceptible de lui donner des indices. Il grimaça en remarquant le garrot serré autour du cou, ainsi que les poignets à vif. De toute évidence, l'homme s'était retrouvé les poings liés. Il avait donc été incapable de se défendre. Il avait fallu qu'il ait confiance en son agresseur, pire, qu'il ne se sente pas menacé par cette personne pour accepter d'être attaché de la sorte, car il n'y avait aucune apparence de lutte près du lit.

Olivier se massa le front, largué. Il se débattait avec sa conscience. Devait-il informer St-Cyr de ces homicides, ou taire ces renseignements dans l'immédiat? Le meurtrier serait beaucoup plus facile à attraper s'ils demeuraient tous à l'auberge. Une fois qu'ils auraient quitté les lieux, la piste risquait de se refroidir. En n'avertissant personne, le coupable ne serait pas inquiété et pourrait chercher à recommencer, ce qui fournirait à Olivier une occasion supplémentaire de le coincer. Dans un soupir contrarié, il se détourna de la scène.

Il ne pouvait prendre le risque que St-Cyr riposte en éliminant l'assassin, car une chose était certaine, ce monstre ne laisserait pas l'exécution de ses comparses impunie. Il devait par conséquent s'octroyer une longueur d'avance, retrouver ce Chaperon rouge avant St-Cyr. Sinon, il ne donnait pas cher de sa peau. Il possédait un avantage, à lui de le conserver. Trouver l'identité de cette fille devenait plus que jamais impératif. Il vivrait avec sa conscience par la suite.

Ce qui était sûr, c'est qu'il allait devoir jouer avec finesse s'il ne souhaitait pas attirer l'attention de St-Cyr sur son enquête. Il lui faudrait de plus découvrir si ce Chaperon rouge était la seule responsable de ces meurtres crapuleux, ou si elle avait des complices. Un pli se forma sur son front à cette idée. C'était plus que probable, car une telle entreprise demandait un minimum de préparation; des connaissances sur les habitudes de ces hommes, ses informations sensibles n'étant pas accessibles au public.

Une pensée perturbante le frappa. Agissait-il vraiment de cette façon pour le bien de son investigation, ou parce qu'il désirait au fond de lui que ce tueur extermine tous les membres importants de cette organisation? Après tout, ces salauds méritaient de mourir. Il secoua la tête à cette pensée, horrifié par cette soudaine noirceur de son âme. Il était un policier, pas un justicier... Il ne pouvait pas, en toute connaissance de cause, cautionner de tels crimes. Cependant, il pouvait dans l'immédiat garder pour lui les indices récoltés. Que St-Cyr se débrouille seul avec ses hommes de main. Il espérait juste que ceux-ci découvriraient les cadavres suffisamment tard pour lui octroyer le temps nécessaire afin d'effectuer sa propre enquête.

Ressortant de la chambre de Dumont, il s'assura que personne ne soit dans les parages, puis referma la porte. Par bonheur, il n'y avait pas de caméra de surveillance dans l'auberge, ni à l'extérieur au demeurant. Il n'était donc pas inquiété de ce côté. Sa visite expéditive demeurerait clandestine, tout comme son irruption dans le cabanon du spa.

• • •

En fin d'avant-midi, le garde-forestier de l'auberge remontait le sentier qui menait à l'une de ses caches d'un pas rapide. Maintenant que la brume s'était dissipée, il pouvait faire le tour de ses collets pour vérifier s'il avait capturé des lièvres. Le cuisinier en chef désirait préparer un civet de lapin pour ce soir, afin d'oublier sa déconvenue de la veille.

Le pauvre s'était abstenu de lui expliquer la cause exacte de son agitation, ce qui l'avait intrigué. En se creusant les méninges, il poursuivit sa route en sifflotant. C'était plutôt bizarre. L'esprit occupé, il aboutit au bout de 30 minutes dans la clairière qu'il avait indiquée sur une carte à Paul Boucher la veille. Son fusil sur l'épaule, il s'arrêta net, le nez plissé. Une puanteur fétide parvenait jusqu'à ses narines, ne lui disant rien qui vaille; un mélange d'urine, d'excréments et de sang. L'odeur le prenant à la gorge, il plaqua l'un de ses gants sur le bas de son visage. Il s'empara de sa carabine et avança avec prudence.

Au tournant de la courbe, il se figea d'horreur, puis pâlit d'un coup en écarquillant les yeux. Son estomac se souleva. Pivotant sur lui-même, il en dégobilla tout son contenu dans les fourrés. Secoué, il demeura penché, appuyé sur ses cuisses écartées. Il aurait voulu se sauver à toute allure, mais il en était incapable.

Il se risqua à regarder par-dessus son épaule, eut un second haut-le-cœur. Il tenta d'inspirer et d'expirer pour reprendre contenance, mais l'odeur nauséabonde fit remonter un filet de bile acide dans son gosier. Il cracha, puis recula d'un pas tremblant avant de se laisser choir sur le sol.

Assis par terre, les jambes pliées, il tint sa tête entre ses mains, ses coudes accotés sur ses genoux. Il avait besoin d'une minute pour se ressaisir. Il respira bruyamment, les muscles de son visage crispés.

Des morceaux de cervelle et d'intestins s'étalaient sur un mètre à la ronde parmi des membres humains déchiquetés, alors que des restes d'organes pendaient dans un amas sanguinolent, le long des flancs. Une forte émanation d'urine flottait dans l'air, comme si plusieurs animaux avaient démarqué leur territoire. C'était la première fois qu'il était témoin d'un tel carnage.

— Seigneur..., souffla-t-il, atterré.

Il était dépassé! Aucune bête dans les environs n'aurait pu agir de la sorte. Il s'était assuré que les alentours de l'auberge soient sécuritaires, afin que les chasseurs de passage n'encourent nul danger.

S'emparant de la radio qu'il portait en tout temps à sa ceinture, il contacta son second pour le prévenir de la situation. Celui-ci devait appeler d'urgence les autorités locales.

CHAPITRE 14

Mais attention, il faut être malin…

Angelika observa entre ses yeux mi-clos l'agitation qui régnait dans le hall. Assise sur l'un des fauteuils de tissu situés dans la salle de séjour, elle reposa son magazine sur la table basse. Les jambes repliées sous ses cuisses, elle examina d'un coup d'œil circonspect l'agent de sécurité qui discutait avec St-Cyr, alors que Léopold Boyer et David Béliveau demeuraient en retrait, regardant la scène en silence.

Elle n'avait jamais aperçu cet homme auparavant. À son insu, elle le scruta avec plus d'intensité. L'inconnu était pourvu d'une carrure athlétique, de cheveux foncés coupés court qui laissaient son front dégagé, d'un menton volontaire, ainsi que d'une dégaine emplie d'assurance. Le type de mec craquant, même habillé d'un jeans et d'une chemise décontractée. On pouvait entrevoir un corps musclé par son haut déboutonné et par les manches roulées sur ses avant-bras. Il n'avait rien d'un dandy, au contraire. Il semblait à l'affût du moindre détail. Le genre d'individu qui pourrait causer sa perte si elle n'y prenait pas garde. Mieux valait le garder à l'œil en prenant soin de ne pas se faire remarquer de lui.

La tête baissée, elle se releva avec lenteur et se dirigea vers le premier corridor sur sa droite en prenant garde de ne pas attirer l'attention. À l'angle du coin, elle risqua un regard discret en direction du petit groupe.

L'un des hommes de main de St-Cyr venait d'arriver, une expression lugubre sur le visage. Angelika ne put s'empêcher de songer que ce dernier ressemblait à un gorille mal dégrossi en comparaison à l'agent de sécurité. Un sourire sardonique étira ses lèvres à cette réflexion, vite réprimée. Si quelqu'un se pointait dans le couloir et l'apercevait, elle préférait ne rien révéler de ses émotions. Elle ne saisissait pas les propos qu'avait déclarés l'employé à St-Cyr, mais la mine sinistre qu'il affichait était assez éloquente pour lui faire comprendre qu'il était mécontent. L'incident devait être majeur pour que son masque d'impassibilité se soit fissuré.

• • •

Vingt minutes plus tôt, Olivier avait reçu un message par radio du garde forestier qui l'informait qu'un corps déchiqueté avait été retrouvé dans les bois. Olivier n'avait pu faire autrement que d'en aviser Arnaud. Il ignorait tout de l'identité de la victime pour l'instant. Ils attendaient le retour de l'homme pour avoir un compte-rendu plus détaillé, mais sans doute faudrait-il un bon moment avant de parvenir à découvrir ce qui s'était produit.

Dès l'annonce de cette nouvelle, Arnaud avait fait mandater ses collègues pour discuter de cette situation entre eux. Toutefois, il était demeuré sans réponse de Dumont, Dubois et Boucher. Ceux-ci manquaient à l'appel. Soucieux, il avait envoyé ses hommes de main à leur recherche, et voilà que l'un d'eux revenait en lui apprenant que Dumont avait été retrouvé étranglé dans sa chambre. Perdant de son flegme, il se retourna vers Olivier pour l'empoigner par le collet. Puis, avant que personne n'ait eu le temps de réagir, il le fit reculer contre le mur, son bras appuyé en travers de sa gorge. Léopold Boyer se rua aussitôt sur lui pour l'empêcher d'étouffer l'individu.

— Qu'est-ce qui te prend, putain ? s'énerva-t-il en tirant sur la manche de son cousin. Tu es fou ou quoi ?

— Cet enfoiré était chargé de la sécurité ! Il n'a rien vu, et n'a rien fait, éructa Arnaud en colère.

— Arrête, Arnaud ! Tu dérailles ! Laisse-le respirer, bordel !

Léopold tenta une nouvelle fois de dégager Olivier de sa position précaire. Ce faisant, il lui jeta un regard en coin pour lui intimer de se tenir tranquille, de ne pas riposter. Par bonheur, la pression contre la trachée d'Olivier se relâcha, lui permettant de reprendre son souffle.

— Ce fumier a intérêt à avoir une bonne explication ! siffla Arnaud entre ses dents.

— Comment voudrais-tu qu'il en ait une ? s'emporta Léopold à son tour. Réfléchis ! Tu as ordonné que lui et les autres ne soient pas mis au courant pour la boucherie perpétrée sur les rottweilers. Il n'y avait que Paul, David, toi et moi qui étions dans la confidence, et qui menions une enquête en douce. Quant au corps dans les bois, il s'agit du fait d'un animal, pas d'un humain. De quelle façon pouvait-il prévoir le meurtre de Vincent dans ces conditions ?

Olivier avait les poings serrés, attentif aux moindres paroles prononcées en sa présence. Son cerveau marchait à vive allure, cherchant une parade pour s'en sortir. Il était béni d'être parvenu à recruter Léopold Boyer comme informateur, même s'il ne comprenait pas encore pourquoi celui-ci avait décidé de se retourner contre son cousin ; c'était lui qui l'avait engagé comme agent de sécurité pour la fin de semaine. Ne désirant pas se trahir, il contracta la mâchoire et ne dit mot, attendant la suite.

— N'importe qui pourrait être coupable de cette exécution, autant l'une des filles que les membres du personnel, argumenta Léopold pour terminer de convaincre Arnaud.

Ce dernier lui lança un regard noir. Il devait se reprendre. Il était habituellement reconnu pour son sang-froid. Ce n'était pas le moment de perdre le contrôle.

— Qu'il me trouve le fautif au plus vite dans ce cas, sinon, je le tiendrai responsable de ce désastre, lâcha-t-il d'un ton cassant en pointant Olivier du doigt.

— Si je puis me permettre, monsieur..., coupa l'homme de main avec une pointe d'hésitation.

Arnaud se retourna d'un bloc vers lui, loin d'être enclin à se montrer patient. Toutefois, il connaissait bien l'individu qui venait de s'adresser à lui. C'était l'un de leurs bons éléments. D'un signe de tête, il lui signala de poursuivre. L'autre se racla la gorge avant de prendre la parole :

— J'ai croisé une fille avec un *look* gothique dans le couloir menant à la chambre de Vincent Dumont après la découverte de son cadavre. Elle travaille ici comme femme de ménage. Comme elle était dans le coin, j'en ai profité pour l'interroger au sujet de Dumont.

— Qu'a-t-elle dit? interféra Léopold avec brusquerie.

— Elle lavait les toilettes en face de la salle de billard hier soir, la porte grande ouverte. Elle aurait vu un homme sortir de la pièce. Elle n'a pas pu me le décrire parce qu'elle était occupée à récurer les chiottes. Par contre, elle se souvient de la fille qui a suivi, quelques minutes après. Elle était pliée en deux et se serait précipitée dans l'un des cabinets d'aisances pour vomir. Il s'agissait de l'une de nos escortes.

— En quoi cette information nous sert-elle? le coupa Arnaud, impatient.

— Elle serait venue dans le couloir pour s'assurer que cette dernière n'avait pas dégobillé sur le plancher. C'est à ce moment-là qu'elle aurait aperçu Vincent Dumont dans la salle du billard.

— Est-ce qu'il était seul? demanda d'emblée Léopold.

— D'après elle, il parlait avec quelqu'un, mais elle ignore qui. Elle est revenue auprès de la fille qui continuait à se vider de ses tripes et l'a aidée à retourner dans sa chambre. Lorsqu'elle aurait regagné son poste de travail une quinzaine de minutes plus tard, la lumière de la pièce était fermée et il n'y avait plus personne à l'intérieur.

— Où est cette femme de ménage? s'informa Arnaud avec un intérêt accru.

— À coup sûr, dehors. Elle m'a réclamé des allumettes pour sa cigarette quand les ampoules se sont mises à clignoter avant de s'éteindre. Elle doit être allée se griller une clope à l'extérieur, répondit l'homme de main en haussant les épaules.

Olivier, qui était demeuré discret jusque-là, sourcilla. L'autre avait parlé d'une fille d'allure gothique qui cherchait des allumettes. Ça ne pouvait être un hasard. Il s'agissait sans doute possible de l'étrangère qui l'avait abordé sur la terrasse la veille. Dans ce cas, qu'est-ce qu'elle tramait?

— Retrouvez-la et interrogez-la! ordonna Arnaud d'un ton rude. Je veux savoir qui était la pute qui les accompagnait, ainsi que le nom de celui qui est sorti en premier. Ils pourront peut-être nous en dire davantage sur l'inconnu qui se trouvait avec Vincent avant sa mort.

Léopold tapota sa lèvre inférieure du doigt, songeur. Il avait aperçu le compère de jeu de Vincent dans la salle à manger ce matin, une tasse de café en main. Il avait surpris sa conversation par hasard, alors qu'il discutait avec un autre membre de l'organisation. Le pauvre bougre n'en menait pas large, il avait le teint cireux. Selon ses dires, il aurait passé la nuit sur la cuvette de sa chambre. Son estomac l'avait fait souffrir pendant des heures, sans qu'il ne puisse rien y changer. L'homme se désolait de n'avoir pu profiter de la petite soirée planifiée par Vincent avec la Louve dans la salle de billard.

Léopold préférait se taire. Il informerait le sergent Olivier de ces faits plus tard, lorsqu'ils seraient seuls, mais il garderait Arnaud dans l'ignorance. Sa collaboration avec le policier n'était pas sans motif. Il voulait voir son cousin payer pour un crime. Un meurtre qui l'avait profondément déchiré, lui faisant mettre au rebut toute affiliation familiale avec lui. Le plus délectable dans cette histoire, c'était que St-Cyr ne savait pas qu'il manipulait ses pions dans l'ombre.

• • •

De sa position, Angelika percevait les éclats de voix, mais elle perdait hélas la majorité des propos. Au-dessus d'elle, les lumières clignotèrent, puis faiblirent d'intensité de manière considérable, créant des coins obscurs dans le couloir. Elle sentit une présence dans son dos et se retourna aussitôt. La jeune femme d'allure gothique avec qui elle avait discuté la veille se tenait derrière elle, immobile.

Angelika maugréa pour elle-même, n'aimant pas être prise par surprise. Cette inconnue se mouvait en silence, apparaissant là où elle n'y était pas juste avant, comme par magie. Pensive, elle tenta de déchiffrer l'expression de l'étrangère, mais ses traits demeuraient en grande partie dissimulés à cause de la pénombre qui régnait sur les lieux.

— Allons dans ta chambre, lui recommanda la fille en lui faisant signe de la suivre.

Angelika fronça les sourcils, ne comprenant rien à l'urgence qui perçait dans la voix de cette dernière. À croire qu'elle se sentait menacée.

— Tu dois me faire confiance. J'ai menti au gorille qui sert d'homme de main à St-Cyr pour te couvrir, insista-t-elle.

Déstabilisée par le qualificatif qu'elle avait utilisé, Angelika se raidit. N'avait-elle pas aussi comparé l'employé de St-Cyr à un gorille, quelques minutes plus tôt?

— Qui es-tu au juste? s'enquit-elle avec effarement.

— Tu le sauras en temps et lieu, *matriochka*, se contenta-t-elle de répondre.

Angelika blêmit. Comment cette fille pouvait-elle connaître le surnom que lui donnait sa grand-mère? C'était incompréhensible!

— Dépêche-toi, viens! Le temps nous manque! la pressa l'étrangère. L'agent de sécurité risque de te chercher pour t'interroger. Tu dois être dans ta chambre et sembler avoir passé une nuit agitée à vomir pour que mon histoire paraisse crédible.

Les lumières clignotèrent à nouveau. Angelika battit des cils. Alors qu'elle hésitait sur ce qu'il fallait faire, une voix résonna dans sa tête.

— *Va...*, lui murmura celle-ci avec douceur.

En reconnaissant les intonations chaudes de son aïeule, Angelika sentit une paix intérieure la pénétrer. Elle leva un regard égaré sur l'inconnue, de plus en plus déstabilisée. Se pouvait-il que cette jeune femme œuvre en définitive pour son bien? Si c'était le cas, elle devait lui accorder sa confiance. Elle choisit donc de prendre le risque et de la suivre.

• • •

Cinq minutes plus tard, une série de cris hystériques se répercutèrent dans les couloirs de l'auberge, alors qu'une agitation notable gagnait du terrain. Arnaud tourna aussitôt la tête vers la porte qui menait à la section du personnel. L'un de ses hommes de main en surgit avec précipitation, faisant claquer brutalement le battant contre le mur sur son passage. Après quoi il se dirigea vers lui au pas de charge.

— Le corps sans vie de Manuel Dubois a été retrouvé dans le spa par une employée, lâcha-t-il d'un ton rude sans préambule.

Contre toute attente, Arnaud demeura de marbre, cloîtré dans un silence glaçant. Troublé, le nouveau venu se dandina d'un pied à l'autre en lançant des regards hésitant en direction de Léopold Boyer. Ce dernier était le cousin de St-Cyr, peut-être serait-il à même de savoir quoi dire ou faire si la situation dérapait ; surtout que, pour sa part, il ignorait à quoi s'attendre.

Étant donné qu'Arnaud ne réagissait toujours pas, David se rapprocha de lui. Il était resté discret jusqu'à maintenant, mais les événements prenaient une tournure préoccupante. Il était à prévoir que les autorités seraient prévenues sous peu, si ce n'était pas déjà le cas. Ils ne devaient plus se trouver sur les lieux au moment de leur arrivée, c'était trop risqué. Un policier trop zélé pourrait profiter des circonstances pour les tenir au garde à vue, ce qui serait mauvais pour leurs affaires. Il était préférable de s'éclipser en douce. Une fois sur leur propre terrain, ils pourraient s'entourer de leur batterie d'avocats et sortir indemnes de cette galère. Attrapant Arnaud par le bras, il l'entraîna à l'écart du petit groupe.

— Nous devons quitter cet endroit tout de suite, murmura-t-il à son oreille. Il faut éviter un affrontement direct avec les forces de l'ordre.

Les prunelles d'Arnaud s'embrasèrent de fureur, mais il sut se maîtriser. David avait raison. Ils devaient rassembler les filles et faire venir les hélicoptères. Demeurer sur place n'augurait rien de bon. D'un hochement de tête discret, il signala à son collègue qu'il était d'accord. David pointa Olivier du menton.

— Laisse cet agent de sécurité ici. Il servira de pâturage aux vautours. Il ne connaît rien de nos affaires, il ne représentera donc pas une menace pour nous.

Olivier, qui n'avait rien perdu de la scène, croisa le regard calculateur de David Béliveau et eut alors la sensation désagréable d'être l'objet de leur discussion. Mieux valait qu'il demeure sur ses gardes.

CHAPITRE 15

Il y a un moment que je te cherche...

Angelika embarqua dans l'hélicoptère avec les autres filles. Elle avait à peine eu le temps de se dévêtir, d'ébouriffer sa chevelure, puis de tirer sur ses draps pour les froisser que l'un des hommes de main au service de St-Cyr pénétrait dans sa chambre, sans même frapper d'abord. Il venait l'avertir qu'ils partaient sur-le-champ. Par chance, l'inconnue qui l'avait pressée de gagner ses quartiers s'était éclipsée juste avant l'arrivée du colosse.

Elle se préparait donc à quitter cet endroit sans avoir eu la possibilité de dire au revoir à son loup. Elle se consola en pensant que cette séparation serait provisoire. Elle s'en fit la promesse.

Cette escapade à l'auberge n'avait pas été vaine. Non seulement avait-elle retrouvé son compagnon, mais ce passage lui avait permis d'éliminer aussi trois hommes de sa liste. Elle avait en plus déjà décidé de quelle manière elle s'y prendrait pour abattre le prochain. Ne restait plus qu'à provoquer l'occasion pour mettre son plan à exécution.

• • •

Olivier réfléchissait tout en faisant tourner entre ses doigts une fléchette de métal. Il était calé dans sa chaise, les jambes croisées, appuyées avec nonchalance sur la surface de sa table de travail. Il était de retour de l'auberge depuis deux heures. Dès que les policiers étaient arrivés sur place, il lui avait fallu révéler son identité au chef de l'unité afin d'éviter toute ambiguïté à son sujet. Dès lors, il avait repris les commandes de l'investigation. Il attendait depuis que l'expertise scientifique soit effectuée et que les échantillons recueillis soient envoyés au laboratoire pour être traités en priorité. Tous les employés avaient été interrogés, mais aucun n'avait pu leur fournir le moindre indice sur le responsable de ces meurtres. Même la jeune femme d'allure gothique s'était volatilisée, ajoutant à sa frustration. Pourtant, il était certain qu'elle n'était pas montée à bord de l'un des hélicoptères.

Irrité, il lança son dard sur la cible accrochée à l'arrière de sa porte, visant droit dans le mile. Les membres de l'organisation avaient réussi à fuir avant l'arrivée des renforts et il lui avait été impossible de les en empêcher. S'il s'était interposé, il aurait grillé sa couverture, en plus d'alerter St-Cyr. Qui sait s'il ne se serait pas retrouvé de surcroît avec une balle logée entre les deux yeux.

Il broyait encore du noir lorsque son cellulaire vibra dans sa poche. Il s'empara de l'appareil. Son écran indiquait qu'il s'agissait d'un numéro masqué.

— Allô? dit-il après avoir accepté l'appel.

Un silence suspect s'étira, mais il perçut une respiration en sourdine.

— Qui est là? s'informa-t-il avec impatience.

— Un nouvel arrivage se prépare, eut pour toute réponse la voix à l'autre bout de la communication. Si j'étais vous, sergent, j'enverrais des hommes à l'entrepôt désaffecté situé à l'extérieur de la ville, sur la route Viltrie.

Olivier resserra son emprise sur son cellulaire. Il reconnaissait l'intonation grinçante. Il s'agissait de Léopold Boyer. Son appel était inusité, car celui-ci n'avait jamais pris le risque de le joindre directement ni de se montrer aussi explicite dans ses renseignements. Il aimait en temps normal jouer avec lui afin de prouver sa supériorité.

— Pourquoi changer votre mode opératoire? l'interrogea-t-il. Qu'y a-t-il de si particulier avec cet arrivage?

Il y eut un autre moment de silence, cette fois-ci chargé d'électricité.

— J'ai décidé d'en terminer une bonne fois pour toutes..., répondit Léopold avec une férocité qu'il ne lui connaissait pas. Ce que vous allez découvrir là-bas, c'est le cœur de l'organisation, la vérité dans toute sa laideur.

Olivier se releva d'un bon, à l'affût de toute information susceptible de lui permettre de coincer St-Cyr.

— Dites-m'en plus!

— Ne vous agitez pas ainsi, sergent. Chaque chose en son temps.

— Putain, Boyer! s'énerva Olivier. Je n'ai pas envie de jouer! Qu'est-ce que vous mijotez?

Un rire caustique retentit dans l'appareil. Sur les dents, Olivier n'avait que faire des sous-entendus de l'individu. Il avait besoin de renseignements tangibles, avant d'envoyer ses hommes à cet entrepôt désinfecté.

— À quoi devons-nous nous attendre?

Léopold s'amusa de sa frustration. Il était si jouissif de manipuler les gens selon son bon plaisir, de les faire tourner en bourrique jusqu'à ce qu'ils perdent leur sang-froid. Il ne devait toutefois pas oublier son objectif, sa véritable cible. Se renfrognant à la pensée de son cousin, il durcit le regard avant de répondre.

— La fille qui se trouvait avec Vincent Dumont et son comparse dans la salle de billard se fait appeler «la Louve».

Olivier se mit à arpenter son bureau en tentant de réfléchir aux implications de cette nouvelle donnée. Pour quelle raison cette fille se tenait-elle avec ces charognes?

— Votre contact n'a rien ajouté de plus? demanda-t-il en se frottant les yeux, fatigué d'avancer à l'aveuglette.

— Oui. Selon lui, ils n'étaient que trois dans la pièce. Lorsqu'il s'est retiré, Vincent avait déjà commencé à s'amuser avec cette Louve.

Ça n'avait aucun sens. L'homme de main avait affirmé que l'employée au *look* gothique avait spécifié avoir entendu des voix après le départ de cette dernière. À moins qu'il y ait eu deux femmes dans cette histoire? Ou un troisième compère, qui aurait rejoint Vincent après que l'autre ait quitté les lieux? Est-ce que la petite les avait menés en bateau?

«Eh, merde!»

Il aurait voulu pouvoir interroger à nouveau cette supposée employée. Trop de mystères l'entouraient.

— Rien de plus? s'enquit-il, à tout hasard.

— Pas que je me souvienne, si ce n'est que la Louve ne portait pour tout vêtement qu'une cape rouge.

La déclaration de Léopold fit l'effet d'une bombe dans le bureau d'Olivier. Il se figea net.

«Nom d'un chien!», se morigénera-t-il.

Tout ce temps, il avait eu l'une des pièces du puzzle sous les yeux. Raccrochant sans façon au nez de Léopold, il se jeta sur son ordinateur pour effectuer des recherches.

— Bordel! s'emporta-t-il en tapant sur la touche «*ENTER*».

Au bout de quelques minutes, une image apparut sur l'écran, le déstabilisant.

CHAPITRE 16

Une adorable petite fille

O livier fit signe à ses hommes de prendre position autour de l'entrepôt désaffecté. Il ignorait ce qu'il allait y trouver, mais les renseignements de Léopold Boyer s'étaient toujours avérés exacts. Il n'y avait donc aucune raison qu'il lui mente maintenant.

— L'escouade est prête, sergent, l'informa l'un de ses subalternes.

— Donnez l'ordre d'investir les lieux, répondit Olivier d'un ton rude.

Ne pas savoir ce qui était à l'intérieur le mettait sur les dents. Cette opération était risquée, et il en était l'instigateur. Vérifiant que son gilet pare-balles était bien en place, il s'avança à son tour vers l'entrepôt tout en s'assurant de demeurer à couvert. L'endroit était délabré, le sol jonché de détritus. Il y voyait à peine tant c'était sombre, sans mentionner l'odeur fétide qui le prenait aux tripes.

L'adrénaline coulait dans ses veines. Il remonta un couloir sinistre recouvert de graffitis en tenant son semi-automatique devant lui, prêt à tirer. Seule la faible lumière de sa lampe torche éclairait son chemin. Croyant avoir entendu un bruit, il s'immobilisa pour tendre l'oreille et fit signe aux autres qui l'accompagnaient de s'arrêter. S'appuyant contre le mur crasseux, il avança la tête avec précaution afin de vérifier l'intérieur de la pièce sur sa droite. Il ne distingua aucun mouvement par la porte entrouverte.

Inspirant profondément, il poussa le battant d'un coup de pied vigoureux avant de se réfugier derrière une poutre de métal. Cinq policiers le suivirent pour le couvrir. Se hasardant à explorer davantage, il fit un pas de côté. Une masse lourde le percuta de plein fouet, le faisant basculer vers l'arrière. À demi allongé sur le dos, Olivier leva son pistolet à deux mains et tira droit devant lui. Un grognement retentit au-dessus de lui, puis un corps s'affala sur sa gauche.

Au même moment, la lumière jaillit dans l'entrepôt. Son équipe avait dû prendre le contrôle des lieux, il ne restait plus qu'à s'assurer de sécuriser l'endroit. Temporairement ébloui, il cligna des yeux pour rétablir sa vision. L'un de ses hommes le surplombait, un bras tendu vers lui pour l'aider à se relever, pendant qu'un autre tenait son assaillant en joue.

— Est-ce que ça va, sergent?

Olivier jura entre ses dents en empoignant la main de son subalterne. Son coccyx était endolori, mais il n'avait subi aucune blessure grave. Survolant la pièce du regard, il fut attiré par le mur du fond, sur lequel était affichée une multitude de photographies. Il s'en approcha.

Un sentiment de rage gronda dans sa tête en se rendant compte qu'il s'agissait de clichés de petites filles nues. Le policier qui l'accompagnait détourna les yeux par réflexe, incapable de contempler ces images choquantes. Un muscle tressauta sur la mâchoire contractée d'Olivier. Ses narines se dilatèrent sous la fureur.

— Trouvez-moi ces salauds ! ordonna-t-il entre ses dents serrées.

Son expression sinistre secoua son subalterne. C'était la première fois qu'il voyait son sergent affecté de la sorte par une descente, mais la découverte qu'ils venaient de faire avait bel et bien de quoi glacer le sang. Sans ajouter quoi que ce soit, il retourna auprès de l'équipe. S'il y avait des survivants, il leur faudrait les interroger sur-le-champ, ne montrer aucune pitié. Ces êtres ignobles n'en méritaient pas.

Olivier tâcha de noter sur les photos chacun des détails susceptibles de l'orienter dans ses recherches. Faire abstraction des corps juvéniles exhibés de manière si obscène s'avérait éprouvant. Un goût de bile brûlant remonta dans sa gorge, lui arrachant une grimace. Il s'efforça de refouler son dégoût.

Les fillettes exposées se situaient toutes dans un décor asiatique pour la pose. Il s'agissait d'une pièce parée avec luxe, dont la lumière tamisée provenait de lanternes chinoises en papier de riz rouge. Des divans dans les mêmes teintes étaient agrémentés de coussins. Un voilage avait été repoussé pour découvrir l'alcôve où étaient allongées les petites dans des positions indécentes, les cheveux étalés tout autour de leur tête. Leur regard était voilé, comme si elles avaient été droguées pour les rendre plus dociles. Un prix était écrit à la main en bas de chaque photo, en devise américaine.

Pour la première fois, Olivier avait la confirmation que l'organisation de St-Cyr trempait dans la traite d'enfants. Cela dépassait tous leurs pronostics pour cette opération. Il ne leur restait plus qu'à dénicher les indices qui incrimineraient ce salopard sans aucun doute possible. Il ne voulait surtout pas que le fumier lui échappe à cause de preuves boiteuses ou d'un vice de procédure. Incapable de continuer à scruter les clichés immoraux, il se détourna, contenant avec peine une envie de vomir. Il leur faudrait comparer la liste des portées disparues à ces photos, vérifier s'il y avait des analogies. L'idée de devoir annoncer à des parents que leur fillette se trouvait piégée dans un réseau de prostitution juvénile le rendait malade. S'il pouvait détruire un réseau complet, ce serait un exploit d'envergure, et une satisfaction personnelle de taille.

— Sergent, vous devriez venir voir, l'accosta l'un de ses hommes.

L'expression atterrée de ce dernier l'alerta aussitôt.

— Je vous suis, répondit-il en lui emboîtant le pas.

Au bout de quelques secondes, ils déboulèrent à l'extérieur. Un conteneur y était, ainsi qu'une bonne partie de l'escouade. Olivier s'approcha de l'ouverture sur le côté. Il se pétrifia en avisant ce qu'il renfermait. À l'intérieur, une trentaine de fillettes étaient allongées sur des matelas de fortune, recouvertes d'une simple couverture pour les protéger du froid. Toutes les petites étaient étendues, immobiles sur leur couchette, comme figées dans le temps. Il déglutit avec peine. Il ne pouvait croire qu'ils soient arrivés trop tard pour les sauver. Le destin ne pouvait se montrer aussi cruel.

— Elles ont été droguées, déclara soudain l'un des policiers accroupis près du premier corps. Leur pouls est faible, mais elles respirent toujours.

Le soulagement qui l'envahit fut si vif que ses jambes faillirent se dérober sous lui. Trois membres de l'escouade se détournèrent pour cacher leur émoi. Quant à Olivier, il lui fallut se racler la gorge avant d'être en mesure de parler.

— Appelez des ambulances, ainsi que les techniciens en scène de crime. Je veux que cet endroit soit passé au peigne fin. C'est compris?

— Oui, sergent! répondit l'un des agents en empoignant le micro de sa radio.

Olivier parcourut les environs d'un regard désabusé. Ces fillettes venaient d'échapper à un sort funeste, mais combien d'autres lui avaient filé entre les doigts? Comment faire, pour que des enfants enlevés ou achetés à des parents sans scrupule, avides d'argent, cessent de convoyer ainsi sur les océans dans des conteneurs transformés? Plusieurs devaient mourir en route. Quelle horreur pour ces petites! S'il avait eu St-Cyr devant lui en cet instant, il l'aurait tué d'une balle logée en plein cœur, et personne n'aurait pu l'empêcher de s'exécuter. Il était fort probable qu'aucun des policiers présents n'aurait même voulu stopper son bras vengeur. En attendant, plusieurs arrestations avaient eu lieu, grâce à l'efficacité de son escouade tactique. Par chance, ils ne dénombraient aucun blessé parmi ses hommes. Ceux qui se trouvaient à l'entrepôt avaient été pris par surprise, si bien qu'ils n'avaient pas eu le temps de réagir. À peine quelques coups de feu avaient été échangés ici et là, avant que l'équipe d'Olivier ne parvienne à prendre le contrôle des lieux.

CHAPITRE 17

Elle rencontra compère le loup, qui eut bien envie de la manger

Angelika se présenta à la demeure de David Béliveau, dûment escortée. Les gardes de sécurité ne s'étaient pas privés de la fouiller jusque dans les moindres recoins de son anatomie, par pur vice. Elle avait subi cet examen corporel avec stoïcisme, concentrée sur sa cible principale. Elle n'avait rien à cacher, car ce dont elle avait besoin pour se venger se trouvait dans la salle des supplices de Béliveau.

Elle était d'ailleurs habillée pour les circonstances. Sous sa cape rouge, elle portait un pantalon de cuir moulant, dont une ouverture effectuée de manière judicieuse dans le tissu permettait d'avoir accès à son anus et son pubis sans problème, les livrant à la convoitise des regards concupiscents. Quant au haut de son torse, il était recouvert de la même étoffe aguicheuse, mis à part son opulente poitrine qui était libérée de toute entrave, sa chair laiteuse offrant un contraste émoustillant, telle une invite à la débauche.

Juchée sur les longues bottes noires à talons aiguilles qui gainaient ses jambes galbées, elle demeura immobile, attendant l'approbation du garde pour rejoindre Béliveau. L'un des hommes présents inséra un doigt lubrique entre les lèvres de sa fente en grognant de plaisir.

— Si le patron n'a pas réussi à te combler, ma belle, je suis tout disposé à le faire avec mes copains ensuite. Tu sais où nous trouver.

Ce faisant, il y entra un deuxième doigt, l'enfonçant davantage d'une forte poussée qui la fit à peine tressaillir. Angelika déposa une main sur le torse du vigile, resserra les muscles de son vagin pour exercer une légère pression, en le regardant droit dans les yeux.

— C'est possible que je me laisse tenter..., susurra-t-elle, enjôleuse. J'ai une faim insatiable.

Appuyant son autre paume sur la verge déjà gonflée, elle la caressa avec sensualité sur toute sa longueur dans un ronronnement suggestif.

— J'aime que des étalons se déchaînent sur moi. Surtout lorsqu'ils sont plusieurs à me monter ensemble avec leur belle grosse queue.

Le garde la plaqua plus étroitement contre lui en agitant avec frénésie ses doigts en elle, lui arrachant un petit couinement excitant. Il l'aurait volontiers prise sur-le-champ, mais il ne pouvait pas se servir avant son patron. Toutefois, elle ne perdait rien pour attendre. Il la prendrait ensuite avec ses gars, sans aucune réserve. Après tout, elle l'avait bien allumé.

— Vas-y, ma jolie, grogna-t-il en la libérant. La nuit ne fait que commencer...

Sa phrase en suspens, il s'écarta pour la laisser passer, signalant à ses comparses d'en faire autant. Angelika lui lança un regard par en dessous, puis avança d'une démarche chaloupée vers la salle des supplices.

Comme prévu, la pièce était vide. Elle connaissait la routine de Béliveau, ses fantasmes les plus obscurs. Ce n'était pas la première fois qu'elle se pliait à sa perversité depuis son entrée dans l'organisation. Elle se départit de sa cape, la déposa sur le dossier d'une chaise, puis se dirigea vers la commode massive. Dans le premier tiroir du haut se trouvait une cagoule de cuir, ainsi que des gants. Elle recouvrit ses bras du tissu moulant qui épousait chacun de ses doigts, puis s'empara du passe-montagne, qu'elle enfila sur sa tête. Avec un soin méticuleux, elle inséra ses mèches de cheveux encore visibles sous l'étoffe serrée, ne laissant à découvert que sa bouche, ses narines et ses yeux.

David Béliveau avait des goûts particuliers que peu de femmes acceptaient de combler, car elles étaient effrayées par ce psychopathe qui exigeait que ses victimes s'habillent entièrement de cuir brillant et lisse. Plus d'une fois d'ailleurs, au cours des deux années écoulées, il avait été jusqu'à lécher les vêtements qu'elle portait lors de leurs séances avant de la pénétrer. À croire qu'il prenait davantage de plaisir à goûter la peau tannée d'une vache que la chair de ses seins. Peu importait de toute façon, elle n'en avait cure, elle n'avait pas peur de lui.

Revenant au centre de la pièce, elle grimpa sur une poutre de bois surélevée, assez large pour y tenir à genoux, puis étendit ses bras devant elle, tout en soulevant son bassin pour offrir sa croupe. Elle demeura dans cette position quelques secondes avant que des pas se rapprochent, puis qu'une sensation de froid se fasse sentir sur son anus. Des doigts venaient d'y étaler un gel, la lubrifiant avec générosité. Un *plug*[4] énorme fut appuyé sur l'orifice, puis enfoncé, forçant le passage étroit. Elle retint un gémissement en serrant les lèvres, refusant de donner satisfaction à Béliveau.

L'objet démesuré fut introduit avec davantage de force, l'agrandissant sans pitié, lui causant par le fait même une vive douleur. Elle poussa malgré elle un cri, ce qui provoqua un rire

---

4. *Plug* : Objet de forme conique destiné à être introduit dans l'anus et utilisé dans le monde du BDSM.

gras chez David. C'était si jouissif de profaner de cette manière cet antre interdit, de l'étirer pour créer une plus large ouverture. Il s'efforça de calmer ses sens, souhaitant plus que tout prolonger cette torture pour l'entendre supplier d'arrêter.

Le *plug* qu'il utilisait aujourd'hui était particulier, car il s'élargissait de plus en plus de manière disproportionnelle ; il contenait un tunnel en son centre qui lui permettrait d'insérer ce qu'il voulait dans son joli petit cul. Qui sait, il pourrait peut-être prendre son pied en y entrant son poing au complet ? Excité, il caressa les fesses recouvertes de cuir lisse avec un plaisir vicieux. Plongeant l'objet plus en profondeur, il prit son membre dur dans sa paume, le soupesant avec fierté. Il était imposant et en tirait une grande satisfaction.

Désireux de s'enfoncer dans la gorge de sa proie pendant que le *plug* remplissait son office, il donna une dernière poussée brusque sur celui-ci, provoquant un soubresaut crispé dans le corps d'Angelika. Se délectant d'avance, il contourna la poutre en bois pour offrir son pénis à ses lèvres.

Angelika retint tout juste un sourire sardonique en le voyant s'approcher d'elle. C'était le moment qu'elle attendait. Reléguant la souffrance qui lui vrillait dans le bas du dos, elle entrouvrit la bouche pour le cueillir, comme une petite chose soumise. David semblait certain de son obéissance, au point qu'il ne prenait plus la peine de l'attacher depuis les deux dernières séances. En réalité, c'était son arrogance qui causerait sa perte.

Une poigne inflexible l'agrippa par la nuque, puis une verge s'enfonça dans sa gorge avec rudesse, lui soulevant le cœur. Près de vomir, elle ne put retenir un bruit de gosier misérable. David s'en galvanisa et l'obligea à l'avaler de nouveau en entier après un coup de boutoir vigoureux, lui coupant momentanément le souffle. Angelika profita de son égarement passager pour déplacer le poids de son corps vers l'arrière afin de pouvoir libérer ses avant-bras. David n'en eut pas conscience, plongé dans une euphorie jubilatoire.

Ce fut au moment où des doigts se refermaient sur ses testicules pour les broyer qu'il reprit brutalement contact avec la réalité. Une douleur fulgurante le transperça, lui faisant perdre tous ses moyens. Durant ces quelques secondes précieuses, Angelika se releva en extrayant le *plug* de son anus, puis prit appui sur les avant-bras de David pour se stabiliser, et lui envoya un vigoureux coup de genou dans l'entrecuisse.

Les jambes de David flanchèrent sous la souffrance insoutenable. Il tomba sur le côté, les mains en coupe sur ses parties génitales, un râle d'agonie au fond de la gorge. Il se tordait; des points lumineux dansaient devant ses yeux. Il n'était pas loin de s'évanouir. Profitant de son égarement, Angelika le prit par les aisselles et le tira vers un muret de bois percé de trois trous, situé à l'une des extrémités de la pièce. Par chance, David était de petite taille et de constitution fluette, ce qui lui permit de le traîner jusqu'à l'endroit désiré.

Elle le laissa par la suite choir sur le sol au pied du carcan d'inspiration médiévale et s'empressa de relever la planche du haut. Elle souleva ensuite le torse de David afin d'insérer sa tête et ses poignets dans le pilori. Puis, elle referma le dessus et fit glisser le loquet de l'entrave pour verrouiller le dispositif. David était maintenant à genoux, la nuque et les mains coincées dans les trois orifices, incapable de voir ce qu'elle mijotait derrière lui. Lui éloignant les jambes, elle alla se saisir d'une barre d'écartement dans son armoire à jouets pour s'en servir sur lui.

L'homme était désormais impuissant, inapte à échapper à sa vengeance. La pièce étant insonorisée et dépourvue de caméra, elle avait tout loisir d'étirer son supplice à sa guise. Se dirigeant vers le tiroir qui contenait des pinces à seins, elle l'ouvrit pour prendre celles lestées d'un poids. Revenant vers David, elle entrouvrit l'une des extrémités, puis s'empara du testicule de droite qu'elle coinça entre ses doigts avant d'y fixer le jouet de torture. L'objet se referma sur la couille dans un étau implacable qui arracha un hurlement à David. Angelika relâcha le poids qu'elle tenait dans sa main, exerçant dans un même temps une traction impitoyable.

— ARRÊTE! cria David, haletant.

Elle contourna le carcan pour lui faire face. S'accroupissant, elle le regarda dans les yeux. Pour la première fois, elle laissait transparaître devant lui sa haine sans aucun filtre.

— Tu aimes pourtant destiner ce genre de traitement aux seins des femmes que tu tortures, jouissant de leur supplice.

Le ton de sa voix lui fit appréhender la suite. Il avait devant lui un être dépourvu de toute humanité, animé par une soif funeste.

— T'es qui, bordel? rugit-il dans un sursaut de révolte.

Pour toute réponse, elle retourna derrière lui, réservant le même traitement à son testicule gauche. Son cri déchira le silence lourd de la pièce. Cette fois-ci, il tourna de l'œil, incapable d'en supporter davantage. Angelika eut un rire cynique à son encontre avant d'aller chercher du camphre. Elle passa la bouteille ouverte sous le nez de David, l'obligeant à revenir à lui comme il le faisant avec certaines filles quand il poussait trop loin certaines séances de masochisme.

David vomit en reprenant connaissance. Loin de s'apitoyer sur son sort, Angelika empoigna un bâton, en lubrifia l'un des bouts qu'elle enfonça dans l'anus de son tortionnaire, sans préambule. David hoqueta, puis retint sa respiration l'espace de quelques secondes.

— Nous allons élargir l'orifice afin que je puisse y insérer une chandelle sans difficulté, susurra-t-elle.

David tenta de fuir cette invasion lancinante en se déchaînant, mais Angelika réussit à l'immobiliser en fixant la barre d'écartement au sol.

— Putain de salope! hurla-t-il. Je vais t'écharper vive!

— C'est ce que tu as fait à Malicia Stojka, à l'époque! Tu te rappelles cette femme, dans les bois? cracha-t-elle en lui donnant un coup de pied vicieux dans le flanc gauche.

Le souffle coupé, il ne fut pas en mesure de répondre immédiatement. Seul un grognement franchit ses lèvres. Angelika en profita pour étendre avec générosité de l'huile à massage sur ses fesses, son pénis, ses testicules et l'intérieur de ses cuisses. Puis, elle partit chercher une chandelle ainsi que des allumettes.

— T'es une maudite folle! gémit-il en tentant de se reprendre.

Elle embrasa la mèche en ignorant sa remarque. Elle fixa la flamme dansante pendant quelques secondes avant de retourner s'accroupir devant lui.

— C'était ma grand-mère, chuchota-t-elle d'une voix lugubre.

David écarquilla les yeux, horrifié. Une lueur teinta ses prunelles d'un éclat craintif. Le monstre venait enfin de comprendre.

— C'est toi… C'est toi qui as tué… mes collègues! lâcha-t-il avec incrédulité.

— Oui.

Puis, sans un mot de plus, elle se releva et contourna à nouveau le carcan afin de se placer entre les cuisses de David. Une goutte de cire tomba sur une fesse huilée, causant une brûlure vive. Avant qu'il ne puisse réagir, elle inséra l'autre extrémité de la chandelle dans son anus.

Puis, elle recula de deux pas. Déjà, le feu commençait à lécher la peau graissée, enflammant la chair comme de l'amadou. David hurla comme un possédé, mais personne ne vint à son secours. Une odeur de cochon grillé emplit bientôt l'air, des cloques se formèrent sur certaines parties de l'anatomie de David alors qu'il se contorsionnait comme un diable dans l'eau bénite. Ses poignets étaient en sang, tant il cherchait à se libérer de son entrave. Ses cris résonnaient avec force, puis sa voix se cassa.

Angelika s'extirpa enfin de sa contemplation morbide. Faisant le tour de la pièce, elle enflamma les draps du lit, l'un des fauteuils, les tentures qui recouvraient les murs, et pour finir, le tapis persan. Le feu aurait tout le loisir de faire du ravage avant que l'alerte ne soit donnée, car il n'y avait aucun détecteur de fumée sur place.

Un souffle rugissant s'éleva, des flammes roulèrent jusqu'au plafond à une vitesse vertigineuse, voraces. Angelika toussa, incommodée par la fumée qui commençait à saturer l'air. Un râle inhumain lui parvint du carcan. David Béliveau agonisait. Ce n'était plus qu'une question de temps avant qu'il ne trépasse. Les langues de feu léchaient ses tempes, embrasaient ses cheveux. L'heure était venue pour elle de quitter ce tombeau incandescent.

Un craquement sec retentit au-dessus de David; une explosion surgit dans l'armoire où se trouvaient différents produits, faisant revoler des éclats un peu partout dans la pièce. Angelika s'empressa de sortir et de prendre sa cape au passage. La chaleur s'intensifiait, la forçant à se cacher le visage.

Sans un seul regard en arrière, elle franchit le seuil et se dépêcha de refermer le battant derrière elle. Il ne lui restait plus qu'à atteindre l'une des fenêtres situées dans le salon. Elle alluma tout ce qui était inflammable, semant le chaos dans la demeure. De nombreux bruits de pas précipités retentirent.

Lorsque l'un des gardes parvint devant la chambre des supplices et voulut ouvrir la porte, il perçut la chaleur qui s'en dégageait. À l'instant où il se tournait vers son comparse pour l'interroger du regard, une déflagration puissante survint de l'autre côté du battant, soufflant tout sur son passage. Les deux malheureux furent fauchés sans même avoir eu le temps de comprendre ce qu'il se passait. Le feu s'amplifia, hors de contrôle. Une pluie de braise s'abattit sur les gardes prisonniers dans la demeure. Aucun d'eux n'avait mesuré l'étendue de la catastrophe. Angelika observa la scène de sa position. Elle était désormais dissimulée derrière le cabanon situé à droite de la piscine creusée, à l'extérieur.

De là, elle aperçut une torche humaine hurlante vaciller sur ses jambes avant de s'effondrer au sol. Une fumée épaisse s'élevait dans les airs. Elle cligna des paupières. Ses yeux commençaient à piquer, sa respiration devenait plus laborieuse, il était préférable de fuir les lieux. De toute manière, elle avait accompli sa mission. Ne lui restaient plus que deux noms sur sa liste.

Étant donné qu'elle ignorait si les gardes qui l'avaient vue à son arrivée avaient survécu à l'incendie, mieux valait se montrer discrète pour quelques jours afin qu'on la croie morte avec Béliveau. Elle en profiterait alors pour rencontrer Richard Cloutier. Le détective avait peut-être de nouveaux éléments à lui transmettre.

• • •

Ce soir-là, Olivier tardait à quitter son bureau. Il avait appris plus tôt l'incident survenu dans la demeure de David Béliveau.

Maintenant qu'il savait que les empreintes qu'il avait relevées à l'auberge sur la porte du panneau d'électricité du spa correspondaient à celles d'Angelika Stojka, il appréhendait le pire. Il était prêt à parier que ce serait aussi le cas dans la chambre de Vincent Dumont. Il avait lu le topo complet de la fille, de sa découverte dans les bois par un couple de joggeurs 12 ans auparavant, jusqu'à sa sortie du centre de réadaptation à ses 18 ans. Elle semblait avoir disparu dans la nature depuis, mais voilà qu'elle refaisait surface sur une scène de crime.

— Bordel de merde! s'emporta-t-il.

Cette fille courait droit à sa perte. Il devait l'arrêter avant que St-Cyr ne mette la main sur elle. Pour le moment, il était le seul à connaître ces informations, avec le responsable du labo qui avait effectué les tests. Il avait exigé de lui la discrétion la plus totale, mais à l'instant où son département en serait avisé à la suite des autres analyses faites à l'auberge par l'équipe de techniciens, ces renseignements risquaient de s'ébruiter. Il ébouriffa ses cheveux, exaspéré.

Il contempla à nouveau le visage de la Louve sur le cliché épinglé à son tableau. Un unique motif pouvait justifier ses actes : la vengeance. Après avoir lu le rapport d'autopsie de son aïeule, il était aisé de le comprendre. Si au surcroît la mort «accidentelle» de sa mère ne l'était pas en définitive, il n'y avait plus aucune raison d'en douter. D'une manière ou d'une autre, cette fille était parvenue à faire le lien entre l'organisation de St-Cyr et le meurtre des membres de sa famille. Comment y était-elle arrivée? Il était inscrit à son dossier médical qu'elle souffrait d'amnésie et qu'elle n'avait pas semblé retrouver la mémoire. Avait-elle feinté pour mieux mystifier son entourage?

Il lui manquait des informations vitales. Il devenait urgent qu'il convoque Léopold Boyer, dans un endroit discret de préférence, afin de pouvoir parler de vive voix avec lui pour combler ses lacunes. St-Cyr avait, il en était certain, gardé la petite à l'œil, noté le nom des gens qui gravitaient autour d'elle, du moins jusqu'à ses 18 ans. Après, ils avaient dû perdre sa trace, car ce dernier ne l'aurait pas autorisée à évoluer dans leur cercle s'il avait connu sa véritable identité.

Il passa le bout de son doigt sur les traits de la jeune femme. Si ce n'avait été de ses empreintes relevées lorsqu'elle était adolescente suite à divers méfaits, il n'aurait pas été en mesure d'établir le lien entre Angelika Stojka et la Louve.

CHAPITRE 18

Fort de ce renseignement, le loup pensa...

O livier pénétra dans le restaurant grec, une expression sinistre figée sur le visage. L'une des serveuses s'approcha de lui pour le conduire à une table, mais il l'arrêta net dans son élan.

— Je ne suis pas ici pour manger.

Comprenant qu'il venait voir le mystérieux personnage qui attendait derrière, elle perdit son sourire affable, puis lui indiqua la porte de la cuisine du regard. Son patron l'avait prévenue de cette visite, lui intimant de demeurer discrète à ce sujet. Habituée à ces rendez-vous étranges, elle retourna à son poste en agissant comme si rien ne s'était produit. Dans quelques minutes, elle aurait oublié les traits de l'inconnu tout comme son arrivée. C'était les conditions de son contrat, et elle était très bien rémunérée pour les exécuter.

Olivier se dirigeait déjà vers la cuisine à grands pas. Léopold Boyer avait accepté de le rencontrer en privé et il comptait lui soutirer le plus d'informations possible. Après la découverte des fillettes dans l'entrepôt désaffecté et celle de l'identité de la Louve, il n'était pas d'humeur à rire. Dire qu'il était remonté était un euphémisme. Il était si furieux qu'il peinait à se contenir.

Dès son entrée, le chef lui indiqua une porte à l'arrière qui menait à une ruelle peu fréquentée. Olivier contourna l'homme corpulent, puis gagna le lieu. Un serveur se poussa de son chemin, peu intéressé à s'interposer entre lui et l'objet de sa visite. Le battant en métal grinça quand Olivier l'ouvrit, signalant d'emblée sa présence. D'un rapide tour d'horizon, il survola l'endroit afin de s'assurer qu'on ne lui tendait pas un piège. Mieux valait se montrer prudent, avec des charognards de la trempe de Boyer.

Léopold se tenait debout au milieu de la place, une cigarette entre les doigts. Olivier fonça sur lui et le cueillit d'un direct à la mâchoire qui le fit valser. Sa clope alla choir contre le sol, puis fut écrabouillée sous ses pieds.

— Ça, c'est pour les fillettes, éructa-t-il avec colère. Et compte-toi chanceux que je ne loge pas une balle dans ta sale gueule de pervers!

Léopold sortit un mouchoir de sa poche pour tamponner sa lèvre fendue. À voir l'air mauvais du sergent et le muscle qui tressautait sur sa joue, il contint le sourire narquois qu'il s'apprêtait à afficher. Ce n'était pas le moment de pousser l'agent à bout.

Il s'octroya une bonne minute de réflexion avant de lui faire face. Il n'avait jamais été suicidaire, loin de là. Il préférait ruser avec ses adversaires afin d'obtenir ce qu'il désirait ou pour se sortir d'une situation critique. Quant à Olivier, son sang bouillonnait dans ses veines. Frapper Boyer l'avait à peine soulagé de la tension qui l'habitait, surtout qu'il continuait d'éprouver une vive répulsion à l'égard des membres de l'organisation de St-Cyr.

— Avez-vous un lien avec le meurtre de Malicia Stojka? attaqua-t-il avec brusquerie.

— Quoi? s'exclama Léopold malgré lui.

Olivier plissa les yeux. La réaction de Boyer lui démontrait que ce nom ne lui était pas étranger. Il paraissait abasourdi de l'entendre prononcer par lui. Il s'avança d'un pas pour le fixer avec froideur.

— Je t'ai posé une question, Boyer! Et j'attends une réponse de ta part, martela-t-il d'un ton rude.

Léopold comprit qu'il ne pouvait pas se soustraire à cette question ni user de faux semblants. Il ignorait quelle piste avait suivi le sergent, mais il avait l'intime conviction que toute cette histoire ne présageait rien de bon. Il ne pouvait toutefois pas se défiler davantage.

— Oui, souffla-t-il en secouant la tête.

Olivier ne cilla même pas, comme s'il était déjà au courant, ce qui rendit Léopold d'autant plus nerveux. Décidément, il n'aimait pas ce qui se profilait à l'horizon. Il raidit l'échine pour se donner contenance, un nœud se formant dans son estomac. Tout ce qui touchait de près ou de loin à la famille de Malicia Stojka le remuait.

— À quoi rime cet interrogatoire, sergent? s'enquit-il en démontrant un détachement feint.

Olivier croisa ses bras sur son torse, fermé comme jamais. Il réfléchissait à toute vitesse, effectuant des recoupements entre les éléments qu'il détenait. Ainsi, il s'agissait bien d'une vendetta. Angelika Stojka voulait la mort de ces hommes. Restait à découvrir qui était responsable du meurtre de sa grand-mère, et de quelle manière elle était parvenue à mettre la main sur ces renseignements.

— Qui est coupable de son exécution?

Léopold se tut, nullement désireux de laisser filtrer la moindre information susceptible de l'incriminer. Toutefois, il était conscient qu'il devait donner à l'enquêteur un minimum d'indications pour éviter d'être embarqué séance tenante.

— Le groupe…

Dès que ces deux mots furent prononcés, Olivier l'empoigna par le col à une vitesse effarante et le fit reculer jusqu'au mur derrière lui. Sa tête heurta la brique, lui arrachant un grognement douloureux.

— Je n'ai plus le temps de jouer, Boyer. J'en ai assez de tes devinettes. Je veux des noms. Sur-le-champ!

Les narines d'Olivier se dilatèrent sous la colère. Se contrôler devenait de plus en plus ardu. Irrité par le silence soutenu qui s'éternisait, il approcha son visage du malfrat.

— Dubois, Dumont et Boucher devaient être complices de ce meurtre. Béliveau aussi, si j'interprète bien sa mort suspecte.

Léopold tressaillit. Il ignorait que David était décédé. Personne ne l'en avait informé.

— Quand est-ce arrivé? demanda-t-il, abasourdi.

— Hier soir, déclara Olivier dans un ricanement mauvais, comprenant que Boyer n'était pas au courant. Pour ta gouverne, sache qu'il a cramé avec sa belle grosse villa… Comme une saloperie de cochon sur le BBQ!

Un tic nerveux fit tressauter un muscle sur la joue de Léopold.

«Merde!»

Qui s'amusait à tous les éliminer l'un après l'autre? Si ces terribles exécutions étaient reliées entre elles, il ne savait pas comment. Largué, il s'éclaircit la gorge en se frottant la nuque. Olivier le relâcha en le repoussant vers le mur comme s'il était un pestiféré.

— T'as intérêt à cracher le morceau si tu ne tiens pas à être le prochain sur la liste, jeta-t-il pour l'ébranler.

Léopold paniqua d'emblée, lui prouvant qu'il avait misé juste.

— J'imagine que St-Cyr était du groupe, spécula-t-il. Qui d'autre?

— Personne. Seulement nous six, répondit Léopold d'une voix blanche.

Il secoua la tête, effaré. Il n'y comprenait rien. Toute cette histoire n'avait aucun sens. Sans parler que cette situation était plutôt ironique, étant donné la raison qui le poussait à trahir son cousin depuis trois ans. Il devait y avoir un lien quelque part, mais lequel?

— Je te conseille de te montrer honnête, Boyer, car je peux te garantir qu'Angelika Stojka n'aura aucune hésitation à terminer ce qu'elle a commencé!

Léopold perdit toute couleur à l'énoncé du nom de la jeune femme. Olivier en fut satisfait. Il avait lancé cette information à tout hasard pour en découvrir davantage au sujet de cette femme. C'était un pari hasardeux, parce qu'il l'exposait par la même occasion. Il prenait le risque malgré tout. Connaître la liste de ses prochaines victimes lui permettrait peut-être de l'appréhender avant qu'elle ne commette d'autres crimes.

— C'est impossible…, souffla Léopold en s'agitant.

Surpris par sa réaction, Olivier le scruta avec plus d'attention, un pli soucieux barrant son front.

— Pourquoi ça? s'enquit-il avec insistance.

— Parce qu'elle a disparu depuis trois ans, tuée par Arnaud.

Olivier masqua sa stupeur. Un élément clochait dans le récit de Boyer, mais il n'arrivait pas à mettre le doigt dessus.

— Pour quelle raison St-Cyr t'aurait-il menti à son sujet? Qu'y gagnait-il?

— Il l'a fait par pur plaisir, pour me montrer qu'il était celui qui détenait le pouvoir. Angelika morte, il s'assurait que je demeure tranquille et que je ne commette pas d'impair.

Olivier passa une main sur son visage, de plus en plus perplexe. Il eut un rire dérisoire avant de reporter son attention
sur l'homme.

— Ce que tu me racontes n'a aucun sens, lâcha-t-il excédé.
Où veux-tu en venir exactement? En quoi le décès de cette
Angelika Stojka pouvait-il t'affecter?

Étant donné que Léopold semblait s'être retranché dans ses
pensées, il perdit patience. L'empoignant de nouveau par le col,
il le força à le regarder.

— Quel est le rapport entre toi et elle?

— C'est... C'est ma fille..., répondit Léopold en
s'étranglant.

Olivier le relâcha d'un coup, estomaqué. Cette histoire était
grotesque. Néanmoins, pour une raison obscure, il y croyait.

— Elle le sait? rugit-il.

— Non...

— Espèce d'enfoiré! s'emporta-t-il. Tu baisais avec sa mère?

Léopold se révolta. Il aimait Lolita Stojka. S'il n'avait pas été
aussi stupide, elle serait en vie. Par sa faute, elle avait été assassinée. Une simple poussée du haut d'un escalier avait mis un
terme à cette idylle. Il n'aurait de cesse de se reprocher de l'avoir
amenée avec lui à l'entrepôt désaffecté ce soir-là. Arnaud y était
avec des clients importants, en train d'effectuer une transaction
d'enfants en bas âge. Lolita avait été choquée par cette découverte, les menaçant de tout déballer à la police. Il avait eu une
sérieuse altercation avec Arnaud, et le lendemain matin, Lolita
était retrouvée morte dans le *night-club*. Arnaud n'avait jamais
dissimulé le fait qu'il avait dû s'occuper du problème que signifiait la danseuse nue.

— Lolita représentait tout pour moi, murmura-t-il d'une
voix cassée.

— Quel tordu accepterait de participer au massacre de la mère de celle qu'il dit aimer? cracha Olivier avec dégoût. La grand-mère de sa propre fille!

— J'ignorais qu'elle était mon enfant à ce moment-là. Arnaud me l'avait caché, et Lolita m'avait évité au cours de trois derniers mois de sa grossesse, préférant garder ce secret pour elle. Ce ne fut qu'après la naissance de la petite que nous avons recommencé à nous fréquenter, mais jamais elle ne m'a soufflé mot de son existence. C'est à ses 18 ans que j'ai su pour Angelika, mais elle avait déjà disparu...

Olivier était interdit. Ces nouvelles informations changeaient la donne. Il était évident que Boyer avait préféré se voiler la face à cette époque, au lieu de chercher à découvrir le pot aux roses.

— Je n'ai pas touché à un seul cheveu de Malicia Stojka, déclara-t-il d'un ton geignard.

— Mais tu étais présent?

— Oui...

— Le fait de ne pas être responsable directement de sa mort n'absout pas tes torts pour autant. Tu aurais pu faire quelque chose!

Léopold eut un ricanement désillusionné à ces propos. Être le cousin d'Arnaud n'aurait pas empêché ce dernier de se débarrasser de lui s'il était intervenu.

— Malicia Stojka n'avait aucune chance, dit-il d'un ton plus dur. Elle se rapprochait trop près de la vérité en fouinant partout. Si je m'étais interposé, je ne serais pas ici pour te servir d'informateur, St-Germain. Je croupirais dans un trou à rats, la gorge tranchée.

La lumière se fit soudain dans l'esprit de l'agent. Il venait de comprendre pourquoi cette crapule travaillait avec lui depuis deux ans. C'était la rancune qui le motivait depuis tout ce temps, mais il était trop couard pour s'en prendre lui-même à son cousin, préférant utiliser les services de police pour régler ses comptes avec lui.

Olivier réfléchit un instant. Il détenait enfin des réponses à certaines de ses interrogations, mais plusieurs demeuraient en suspens.

«Nom de dieu!»

Il était confronté à un véritable sac de nœuds.

— Qui était en contact avec elle avant sa disparition? attaqua-t-il d'emblée.

Léopold devait peser le pour et le contre avant de parler. Il n'avait pas les idées claires depuis qu'il avait appris qu'Angelika était vivante. S'impatientant, l'agent le plaqua de nouveau au mur en l'empoignant par les épaules.

— La vérité, Boyer! mugit-il. Si j'ai réussi à découvrir son identité, St-Cyr y parviendra également. Ce n'est qu'une question de temps avant qu'il ne lance ses chiens de chasse sur elle. Je ne pourrai pas la protéger si j'avance à l'aveuglette.

Léopold se sentit gagné par un froid funeste. Si Angelika était responsable des récents événements, Arnaud finirait par la démasquer aussi. Il voudrait dès lors la faire payer au centuple la mort de ses collaborateurs. Il devait saisir la perche que lui tendait le sergent. Il savait qu'il pouvait se fier à lui, que ce dernier n'était pas à la solde de son cousin.

— Nous sommes sur la piste d'un détective privé qui fouine dans les affaires de l'organisation. Il se pourrait qu'il travaille pour Angelika, mais je n'en suis pas sûr.

— Comment s'appelle-t-il? s'impatienta Olivier.

— Richard Cloutier. Arnaud le fait prendre en filature en ce moment.

— Qui d'autre?

— Il y a eu un avocat de la firme Bouvier et associés. Un certain Maître Tremblay, mais son prénom m'échappe. C'est lui qui est allé la chercher au centre de réadaptation, le jour de ses 18 ans. C'est après qu'elle a disparu. Arnaud a fait suivre cet avocat pendant un an, mais sans résultats probants, alors il a abandonné cette piste.

Olivier prit l'information en note. Il avait l'intention de retrouver ces deux hommes. Qui sait, l'un d'eux le mènerait peut-être à la fille. Alors qu'il se préparait à partir, laissant Léopold Boyer en plan, celui-ci l'accrocha par l'avant-bras.

— Où est Angelika? demanda-t-il à l'agent d'une voix suraiguë.

Ce dernier secoua le bras pour se dégager de sa poigne. Il refusait de répondre.

— St-Germain, où est-elle? Comment as-tu découvert son identité? insista-t-il.

— Il est hors de question que je vous serve sa tête sur un plateau d'argent.

La réplique du sergent claqua comme un coup de semonce. Il la retrouverait quoiqu'il en coûte, mais certainement pas pour la livrer à ces crapules.

CHAPITRE 19

Un fameux régal,
cette mignonne et tendre jeunesse

*E*lle revenait chez elle d'un pas traînant. Elle n'avait aucune envie de retrouver cette bâtisse en décrépitude qui lui servait de maison, pas plus que les deux vieux avachis dans leur fauteuil usé, une bouteille de bière en main. Plus que jamais, l'idée de partir l'attirait, tel un chant de sirène. Pourquoi ne pas devenir maître de sa destinée ? Après tout, elle avait 18 ans aujourd'hui. C'était suffisant pour se débrouiller. De toute façon, elle savait qu'il n'y aurait aucun gâteau d'anniversaire ni rien d'autre à manger dans le réfrigérateur, sinon que des restants depuis longtemps moisis. Et pour cause, le chèque de bien-être social que recevaient ses parents était dépensé en boissons et en billets de loterie. Il y avait belle lurette qu'elle n'avait pas croqué dans un fruit juteux ni dégusté un morceau de viande tendre et savoureux. En fait, cette expérience sublime remontait à une courte période de son enfance, celle qui correspondait à son bref séjour dans une famille d'accueil. Elle avait malheureusement été trop vite obligée de retourner dans son foyer d'origine.

En guise de rébellion, elle s'était fait tatouer le corps, portait des piercings partout où c'était possible et s'était coupé les cheveux en brosse. Elle n'arborait que du noir en signe de deuil de sa jeunesse *insouciante bafouée. Habituée à provoquer de vives réactions chez le commun des mortels, elle ne porta pas attention à la fourgonnette fermée qui la suivait ni aux trois hommes peu recommandables qui venaient d'en sortir. Elle gardait la tête baissée, ses yeux rivés sur ses lourdes bottes de travail.*

Avant même de savoir ce qui l'attendait, elle fut assommée par-derrière et perdit connaissance. Avec une dextérité due à l'expérience, l'un de ses assaillants la souleva pour la jeter sur son épaule comme un vulgaire sac de patates. Elle fut ensuite lancée dans la camionnette parmi d'autres filles inconscientes. Elle l'ignorait, mais dès demain ses parents seraient dûment rémunérés pour l'avoir vendue à ce groupe de malfrats.

Lorsqu'elle retrouva ses esprits plus tard, elle était assise sur un parquet de bois usé, une cagoule sur la tête, ses mains ficelées dans son dos, ses jambes repliées et attachées au niveau de ses chevilles. Elle était appuyée contre un coin de mur, nue. Plus elle prenait conscience de sa condition précaire, plus sa respiration se précipitait. Son cœur s'emballa sous la frayeur, cognant fort contre sa poitrine. Affolée, elle tenta de libérer son visage du sac de toile qui obscurcissait sa vision en se secouant, mais sans succès. Son corps fut parcouru d'un frisson d'effroi, ses poils se hérissèrent sur ses avant-bras. Elle aurait voulu crier, mais seuls des gémissements pitoyables franchirent ses lèvres.

Le bruit d'une clé tournant dans une serrure la fit sursauter. Elle se mit à trembler, incapable de se contrôler. Ses poumons se comprimèrent. Elle suffoquait sous le tissu épais.

Des pas s'approchèrent d'elle, puis elle fut relevée avec rudesse pour être jetée de nouveau sur une épaule. Un os s'enfonça dans son ventre, sa tête commença à tourner sous l'afflux instantané de sang dans son cerveau. Son calvaire lui sembla durer une éternité avant qu'on ne la remette debout. Elle vacilla. Une main implacable la stabilisa aussitôt en s'incrustant dans la chair tendre de son bras.

— *Ferme les yeux! lui ordonna une voix dure. Et gare à toi si tu désobéis... Entendu?*

Elle acquiesça avec vigueur et s'empressa d'obtempérer lorsqu'on lui enleva la cagoule. Un foulard recouvrit dès lors ses paupières, puis un collier en métal fut enserré autour de son cou. Par la suite, une lame affûtée trancha la corde à ses chevilles. Son sang se glaça dans ses veines.

— *Avance!*

Sans même lui laisser le temps de comprendre ce qu'il se passait, un inconnu la tira avec force, manquant de peu de la faire trébucher. Incapable de se retenir davantage, elle éclata en sanglots.

— *Silence! rugit l'un des hommes.*

Elle hoqueta de frayeur, puis mordit l'intérieur de sa joue jusqu'au sang pour se contenir. Elle tremblait comme une feuille, ne pouvait rien faire pour s'en empêcher. Ils traversèrent une pièce feutrée avant d'arriver à destination. Non loin d'eux, elle entendit une voix dans un micro annoncer la vente du prochain lot.

— *Est-ce que je l'emmène aux enchères? demanda l'un de ses tortionnaires.*

— *Non! répliqua un second. Elle ne correspond pas aux goûts raffinés de nos clients de ce soir. Conduisez-la dans la salle de jeux, qu'elle serve de divertissement aux membres. Lorsqu'elle n'intéressera plus personne, débarrassez-vous d'elle.*

Une terreur sans nom s'empara de la jeune femme à ces mots, la paralysant sur place. À l'instant où elle ouvrait la bouche pour crier, une main la gifla à toute volée, lui fendant les lèvres. Sa tête partit vers l'arrière. Sonnée, elle ramollit entre les bras de celui qui la retenait.

— *Sortez-la d'ici! s'emporta le tenancier. Elle perturbe la vente en cours.*

Séance tenante, elle fut amenée dans un endroit chargé d'odeurs prenantes. Là se trouvaient des hommes de tout acabit, animés par le même vice pernicieux. Dès qu'elle fut libérée de la corde, on la souleva pour l'allonger sur une surface rugueuse, sa nuque ployée dans le vide vers l'arrière. Ses poignets furent à nouveau entravés par des anneaux de fer de chaque côté de sa tête, ses jambes surélevées et attachées aux chevilles à deux barres en acier. Écartelée et sans défense, elle devint une proie facile pour qui souhaitait l'utiliser pour assouvir ses plus bas instincts.

Son nez fut pincé jusqu'à ce qu'elle soit obligée d'ouvrir la bouche pour respirer. Dès lors, un bâillon muni d'une boucle de métal fut inséré entre ses lèvres, les forçant à demeurer entrouvertes. N'importe qui pourrait alors introduire sa verge jusqu'au fond de sa gorge. Sa nuque inclinée vers l'arrière permettrait d'aller aussi profond que l'agresseur le désirerait, au risque de la faire mourir par suffocation.

Une queue dure et épaisse s'enfonça dans sa fente sans avertissement, l'étirant sans douceur pour la pilonner avec une sauvagerie qui secouait ses seins dans tous les sens. Des râles accompagnèrent l'homme qui la violentait, jusqu'à ce qu'il fût pris de soubresauts jouissifs. À peine retiré, un pénis plus long se fraya un passage cuisant dans son jeune cul vierge, la fouillant sans aucune pudeur. Incapable de crier à cause du membre qui emplissait également sa gorge, elle subissait les pires outrages dans un enchaînement cauchemardesque.

Bientôt, son visage tout comme ses cheveux devinrent poisseux et collants de sperme, et sa poitrine rougit à force d'avoir été pincée. Tout son être était embrasé par la souffrance.

Les heures se succédèrent, la plongeant dans un enfer insoutenable. À la fin de cette interminable agonie, sa raison flancha, aucun supplice ne lui ayant été épargné. Son corps brisé fut rejeté, puis ce fut le noir total autour d'elle.

La jeune femme d'allure gothique craqua une allumette de ses doigts tremblants. Ce calvaire, elle le revivait inlassablement dans sa mémoire, car ces souvenirs demeuraient gravés dans son esprit. Seule la mort de tous les monstres qui lui avaient volé sa vie pourrait lui apporter la paix, celle qui lui permettrait de quitter enfin ce monde hostile pour des rivages plus cléments. Mais avant que son âme soit lavée de toute cette souillure, qu'elle soit libre de tout entrave, il lui fallait guider les pas de la Louve et du sergent. Ils étaient si près du but...

• • •

Angelika ferma la lumière du couloir qui menait à la chambre de son appartement. La noirceur avait recouvert la ville, la plongeant dans une torpeur bienfaitrice. Elle massa ses tempes lancinantes. Marcher lui était pénible, après les sévices imposés par Béliveau, et s'asseoir était encore plus éprouvant. Elle en aurait pour deux jours à être endolorie. Elle aspirait au sommeil afin d'oublier ses tourments.

Elle s'apprêtait à gagner son lit lorsqu'elle perçut une présence dans son dos. Elle pivota, prête à combattre, mais son regard ne croisa que le vide. Un souffle glissa sur sa nuque, lui donnant la chair de poule. Il y avait quelque chose avec elle dans la pièce, mais ce n'était pas humain.

Une allumette s'enflamma dans l'obscurité, éclairant le visage blafard de la jeune femme d'allure gothique. Angelika eut un léger sursaut, déstabilisée. Comment n'avait-elle pas deviné plus tôt? L'étrangère qui s'était manifestée à l'auberge n'avait rien de réel, il s'agissait d'une présence éthérée. Cela expliquait pourquoi elle s'était matérialisée aussi vite à ses côtés... Il ne s'agissait pas de l'une des escortes qui travaillaient pour le cartel, comme elle l'avait cru à la base.

— Est-ce que les membres de l'organisation sont responsables de ta mort? s'informa-t-elle avec douceur.

Étant donné que l'apparition demeurait silencieuse, elle se glissa jusqu'à elle. Son regard reflétait une telle douleur qu'Angelika en fut remuée. Elle n'avait pas remarqué cette souffrance criante à l'auberge, aveuglée qu'elle était par son désir de vengeance. Un pâle sourire étira les lèvres de l'inconnue.

— Ces êtres abjects sont la cause de tant d'horreurs..., souffla-t-elle d'une voix ténue. Ils doivent payer pour ces atrocités.

— C'est pour cette raison que tu m'aides? Afin que j'accomplisse ce qui est juste?

— Ce cauchemar doit finir... Il n'y a aucune rédemption possible pour eux. Ta grand-mère m'a assuré de ton soutien.

— Ma grand-mère! s'exclama Angelika, ahurie.

— Oui, la Tsigane. C'est grâce à elle si je n'erre plus dans les limbes. Elle m'y a retrouvée et a insufflé un nouvel espoir dans mon âme tourmentée...

Une larme roula sur la joue d'Angelika. Son aïeule lui manquait tant. De savoir qu'elle s'efforçait de l'assister dans l'au-delà apporta un baume sur son cœur malmené.

— Ne pleure pas, petite louve, tu n'es pas seule, déclara la jeune femme. Mais prends garde. Un animal acculé peut se révéler très dangereux et imprévisible. St-Cyr ne se laissera pas abattre facilement.

Angelika poussa un soupir chevrotant. Elle en avait conscience. Jusqu'à maintenant, elle avait été chanceuse, mais sa bonne fortune pouvait tourner à tout moment. Il serait utopique de croire qu'elle pourrait exterminer tous ces hommes sans éveiller leur suspicion, mais elle était fatiguée de marcher sur la corde raide, sans mentionner tout ce sang, cette violence...

— Le sergent Olivier est un allié sur qui tu peux compter, déclara l'inconnue avec conviction. Il s'agit du nouvel agent de sécurité qui se trouvait à l'auberge. Il était en mission d'infiltration. Il enquête sur l'organisation de St-Cyr depuis deux ans déjà. Sois rassurée en ce qui le concerne.

Angelika se mordit la joue, incertaine. Elle avait de la difficulté à accorder sa confiance à autrui, il ne lui serait pas aisé de déroger à ce principe, surtout avec un étranger. Réticente à se compromettre, elle hocha la tête d'un mouvement à peine perceptible. La jeune femme partit d'un éclat de rire juvénile qui ruissela sur Angelika telle une cascade cristalline.

— Ne sois pas si prompte à l'envoyer au pilori, la taquina-t-elle.

Le coin des lèvres d'Angelika se retroussa malgré elle. Soit, elle pouvait faire l'effort d'essayer. Rassurée sur sa bonne foi, la silhouette éthérée commença à s'évaporer. Elle devait ménager son énergie pour le combat à venir.

— Dis au sergent de faire creuser le sol du terrain vague situé derrière l'entrepôt désaffecté. Dépêche-toi, le temps nous est compté !

Alors qu'Angelika s'apprêtait à la questionner davantage, le spectre disparut, la laissant seule avec le poids du fardeau qui s'alourdissait de plus en plus sur ses frêles épaules. Angelika resserra ses bras autour de sa taille en frissonnant.

• • •

Olivier se tenait debout, près du trou béant excavé aux premières lueurs de l'aube. Durant la nuit, un coup de fil anonyme lui avait désigné l'endroit comme un lieu susceptible de faire avancer son enquête. Il avait mandaté une équipe de techniciens sur place dès que possible. Il avait eu raison de se fier à son instinct, puisque ses hommes avaient trouvé une trentaine de cadavres jetés dans une fosse commune. Ceux-ci avaient d'ailleurs commencé à étendre les premiers corps sur le sol glacé. Il s'agissait de fillettes, d'adolescentes et de très jeunes femmes. Son gobelet de café en main, il tenta de puiser un peu de chaleur dans le liquide brûlant. Il éprouvait la sensation d'être transi de froid, engourdi par l'horreur qui se dévoilait à ses yeux. Les puissants projecteurs qui entouraient le périmètre étaient toujours allumés en cette journée grise, pâle lumière au cœur de ce portrait funeste. La température jouait contre eux. Il leur fallait dénicher le plus d'indices possible avant que la pluie ne s'abatte sur la scène de crime.

Éreinté, il passa une paume lourde sur son visage. Identifier toutes ces mortes demanderait un temps considérable, ce dont il ne disposait pas. St-Cyr pourrait leur filer entre les doigts à tout moment, sans parler d'Angelika Stojka, qui risquait gros. Soucieux, il s'obligea à examiner un à un les traits des malheureuses. Certaines arboraient déjà un état de putréfaction avancé, mais d'autres demeuraient encore reconnaissables.

Une main glacée étreignit son cœur, et toute couleur le déserta lorsqu'il parvint à la hauteur de l'un des cadavres. C'était impossible ! Pourtant, le visage qu'il contemplait était en tous points le même que celui de la jeune femme d'allure gothique qui lui était apparue sur la terrasse de l'auberge.

— C'est quoi ce foutoir ? murmura-t-il d'une voix blanche.

CHAPITRE 20

Il fit alors plusieurs fois le tour...

A rnaud envoya valser par terre tout le contenu de sa table basse après avoir parcouru le message qu'il venait de recevoir de l'un des policiers à sa solde. Le résultat de l'analyse indiquait que cette maudite Angelika Stojka se trouvait avec eux à l'auberge. Pire, il était fort probable qu'elle soit responsable des meurtres de Dubois et de Dumont.

Cette fille avait échappé à leur surveillance rapprochée à sa sortie du centre jeunesse, trois ans plus tôt, s'évanouissant dans la nature. Voilà qu'elle refaisait surface, tel un ange exterminateur. Il allait devoir éplucher tous les dossiers des employés de l'auberge, ainsi que ceux des escortes présentes durant leur séjour là-bas. Quant à Boucher, sa mort suspecte dans les bois demeurait un mystère, d'autant plus que le légiste médical avait été catégorique à son sujet ; c'étaient des animaux sauvages qui l'avaient attaqué, et ses soupçons penchaient plus précisément pour une meute de loups.

Il tapa le dessus de la table de son poing, exaspéré. Il aurait volontiers rossé de coups le premier venu. Son vernis raffiné craquait sous la pression, dévoilant chez lui une violence primitive. Qu'il soit damné, s'il ne parvenait pas à attraper cette succube !

Il avait mis ses limiers[5] les plus compétents sur le dossier. Il devait arrêter cette Tsigane avant qu'elle ne commette plus de ravages. Par précaution, il avait même fait renforcer la sécurité autour de lui.

On frappa à sa porte, faisant tressauter son cœur dans sa poitrine. «Bordel!»

Il devenait paranoïaque avec toute cette histoire.

— Entrez! rugit-il.

Celui qui apparut sur le seuil était l'un de ses agents personnels. Arnaud le connaissait très bien. Il remarqua d'emblée que ce dernier affichait une expression lugubre qui ne laissait rien présager de bon.

— Nous venons de recevoir des nouvelles concernant Béliveau, monsieur.

Son hésitation ne passa pas inaperçue, pas plus que son regard fuyant. La tension d'Arnaud monta d'un cran.

— Qu'y a-t-il? s'emporta-t-il, une veine saillant dans son cou.

L'homme nota le teint rougeâtre et les muscles bandés de son patron. Il s'efforça de rester stoïque afin de ne pas le provoquer davantage. Cependant, ce qu'il s'apprêtait à révéler n'allait pas lui faciliter la tâche. L'œil vif, il demeura aux aguets.

— Sa maison a brûlé alors qu'il était à l'intérieur.

— L'enfant de chienne! hurla Arnaud en projetant la table basse contre le mur dans un excès de rage.

Le meuble délicat se fracassa sous l'impact. Le garde recula d'un pas prudent vers la porte. Il ne désirait pas faire les frais de la colère de St-Cyr. Hors de lui, Arnaud renversa une chaise qui était sur son passage, avant de prendre appui sur son bureau de travail. La respiration haletante, il balaya du bras tout ce qui s'y trouvait. Alertés par tout ce grabuge, d'autres gardes envahirent la pièce, puis s'immobilisèrent devant l'ampleur du désastre.

---

5. Limier : Détective employé pour rechercher la trace de quelqu'un.

— Monsieur…, se risqua l'un d'eux.

Arnaud se retourna d'un bloc, ses prunelles irradiantes de ressentiments.

— Qui était sur place? questionna-t-il, remonté.

— Quelques hommes de main, ainsi que l'une de nos filles.

Arnaud fusilla du regard celui qui s'était hasardé à répondre. Il s'avança vers lui au pas de charge pour l'empoigner à la gorge.

— Quelle fille?

Aussitôt, deux agents l'agrippèrent par les bras pour le forcer à lâcher prise et à reculer. Le malheureux qui avait été agressé toussa pour s'éclaircir la voix, puis se frotta le cou.

— L'un des gardes encore vivants a déclaré qu'il s'agissait de la Louve, dit-il en fixant Arnaud, incertain. Mais selon lui, elle n'a pas survécu. Les deux se trouvaient dans la chambre aux supplices de Béliveau.

Arnaud eut un ricanement caustique en se dégageant d'un mouvement brusque. Ses hommes le relâchèrent, mais demeurèrent vigilants.

— Partez! ordonna-t-il en tirant d'un coup sec sur le veston de son costume pour le défroisser.

Ces derniers hésitèrent une fraction de seconde avant d'obtempérer. Loin d'être rassurés, ils restèrent en faction derrière la porte une fois celle-ci refermée.

Arnaud arpenta son bureau à grandes enjambées. Son instinct lui soufflait que la Louve n'était pas morte, que d'une manière ou d'une autre, elle était impliquée dans cette sordide histoire. Après tout, elle était à l'auberge au moment des massacres, sans oublier le fait que des fuites avaient commencé à se produire à peu près à l'instant où elle avait intégré le groupe d'escortes de l'organisation.

Suspicieux, il se dirigea vers son ordinateur portable, cherchant une photo d'elle. Une fois qu'il l'eut trouvée, il l'afficha à côté du portrait d'Angelika Stojka alors qu'elle n'avait que 18 ans. S'il faisait abstraction des trois années écoulées, des piercings, du maquillage glauque et de la couleur des cheveux, la ressemblance était marquante. C'était la même forme d'yeux en amandes, le même nez étroit, et les mêmes pommettes hautes. Il jura en faisant ce constat lourd de conséquences.

Cette garce s'était jouée d'eux depuis le début. Elle s'était conformée à un plan d'attaque réfléchi dès le départ, abattant ses cartes les unes après les autres. Soit elle les avait aperçus ce jour-là lors du massacre de la vieille, soit l'un des membres de l'organisation les avait trahis. Il songea aussitôt à son cousin Léopold. Plus que quiconque, il avait des raisons de souhaiter sa perte.

Si ce dernier avait retrouvé la trace de sa fille dans le plus grand secret, il y avait fort à parier qu'il ait également fomenté cette vengeance de concert avec elle. Une telle alliance pourrait expliquer plusieurs événements. Après tout, malgré que Léopold fût présent lors de la mise à mort de Malicia Stojka, il ne l'avait pas touchée une seule fois, se contentant de demeurer à l'écart. Connaissait-il la vérité concernant Angelika Stojka à ce moment-là? Lui avait-il laissé croire qu'il ignorait tout d'elle afin de mieux le mystifier?

Suspicieux tout à coup, Arnaud se laissa choir sur son fauteuil. Est-ce que son imagination lui jouait des tours, ou visait-il juste? Son cousin était un couard, un vrai boulet dans son existence. S'était-il trompé à son sujet? Il fourragea dans sa chevelure avec frustration. Si Léopold l'avait dupé toutes ces années, qu'il collaborait à leur destruction avec la Louve, cela impliquait qu'il ne pouvait plus se fier à personne à l'intérieur de l'organisation, sinon qu'à une poignée d'hommes triés sur le volet. Qui sait quelle taupe Léopold avait pu introduire parmi eux à son insu?

. . .

Olivier effectuait des recherches dans leur base de données afin de trouver des informations sur le détective privé Richard Cloutier qui seraient successibles de l'aider dans son enquête. Il avait découvert qu'un certain Bernard Tremblay travaillait pour la firme Bouvier et associés depuis des années. Il supposait donc qu'il s'agissait de l'avocat mentionné par Léopold.

En appuyant sur la touche «*ENTER*», il vit apparaître un numéro de téléphone au nom de Richard Cloutier, ainsi qu'une description détaillée des services qu'il offrait. Il en était au milieu de sa lecture lorsque les lumières de son bureau commencèrent à clignoter, pour ensuite s'éteindre sans raison valable.

Olivier se pencha pour prendre sa lampe torche située dans le tiroir du bas de sa table de travail, mais accrocha par mégarde sa tasse de café vide. Celle-ci se fracassa contre le sol dans un bruit sourd qui résonna dans le silence de la pièce. L'esprit ailleurs, il inclina son buste pour ramasser les débris et se coupa un doigt sur l'un des rebords tranchants.

— Eh merde! grogna-t-il en cherchant à tâtons la boîte de mouchoirs.

Il jura en ne la trouvant pas. À croire qu'une personne invisible s'échinait à lui pourrir la vie. Il grimaça. La douleur lancinante qui irradiait de sa blessure laissait présager qu'elle était plus profonde qu'il pensait. Du sang gouttait désormais du bout de son ongle sur le plancher.

Il se prépara à appeler quelqu'un quand un déplacement d'air l'électrisa, lui faisant redresser la tête à toute vitesse. Le sentiment désagréable qu'il n'était plus seul dans son bureau le submergea. Pourtant, personne n'était entré par la porte, et sa fenêtre était fermée. De toute façon, il se trouvait au troisième étage. Un malaise grandissant le gagna. Il n'accordait aucun crédit à toutes ces balivernes touchant le surnaturel. Cependant, force lui était de reconnaître que cette histoire avec la jeune femme d'allure gothique rencontrée à l'auberge n'avait aucun sens. Elle était censée être morte!

— Bon sang! Si tu es là, montre-toi! lâcha-t-il furibond.

Une faible brise glissa sur sa peau avant que la lumière revienne à l'improviste, éclairant la pièce. Il n'y avait personne, mis à part lui. Devenait-il cinglé ou quoi? Il en était à cette réflexion grotesque lorsque son regard tomba sur les débris épars sur le sol. Il blêmit en apercevant le message écrit avec son sang.

Angelika... danger...

• • •

Angelika émergea du parc peu fréquenté en courant comme si elle s'adonnait à son jogging quotidien. Ses cheveux cachés sous le capuchon de son kangourou, elle avançait à un rythme régulier, la tête penchée vers l'avant pour dissimuler ses traits. Elle venait de rencontrer Richard Cloutier en secret afin de planifier ses derniers préparatifs.

Celui-ci s'était montré plus nerveux qu'à l'habitude. Selon lui, St-Cyr le faisait suivre, ce qui compromettait leur mission. Angelika ne doutait pas des paroles du détective. Après tout, c'était son métier de prendre les gens en filature. Néanmoins, elle était allée trop loin pour reculer. St-Cyr devait mourir. Son cousin aussi. Sinon, ils passeraient entre les mailles de la justice, se jouant des lois. Cet objectif était l'unique élément dans sa vie qui lui permettait d'avancer.

St-Cyr avait prévu une petite soirée costumée au casino pour le lendemain. Il avait réservé les lieux pour ses collaborateurs et leurs clients sélects pour y fêter Halloween. Cet événement était planifié depuis des semaines, et c'était l'occasion idéale pour mettre un terme à l'existence de ce monstre. Il était hors de question qu'elle renonce si près du but.

Tout en poursuivant sa course, elle ressassa dans sa tête les derniers préparatifs, si bien qu'elle ne remarqua pas l'inconnu qui se détachait du couvert des arbres pour la suivre. Au passage, celui-ci fit signe à l'un de ses compères, assis dans une voiture noire stationnée sur le bas-côté, d'aller s'occuper du détective qui venait de quitter les lieux dans la direction opposée. Un sourire mauvais étira les lèvres de l'homme. Son patron serait heureux d'apprendre que la Louve avait survécu aux flammes. Sans doute prendrait-il plaisir à l'interroger lui-même afin de lui extirper des aveux complets.

Le bruit d'une alarme troubla le silence environnant, attirant d'emblée l'attention d'Angelika derrière elle. Ce faisant, elle remarqua la silhouette qui la suivait de près et qui s'escrimait visiblement à éteindre son cellulaire. Suspicieuse, elle bifurqua aussitôt à un angle de la rue, changea son itinéraire afin de semer un éventuel poursuivant. Elle ignorait si la menace était réelle, mais elle préférait ne prendre aucun risque. Le cœur en déroute, elle s'élança dans la nuit noire, non sans inquiétude.

Non loin d'elle, l'homme jura en s'emparant de son téléphone. Il n'y comprenait rien. Celui-ci était pourtant fermé. Comment diable avait-il pu se mettre à sonner? Déstabilisé par l'incident, il perdit sa cible de vue et poussa un grognement enragé en contemplant son appareil d'un œil torve.

CHAPITRE 21

Il pouvait être encore temps de la sauver

A ngelika pénétra dans le hall d'entrée du casino revêtue de sa cape rouge et de son capuchon. Elle s'arrêta devant une série de miroirs reflétant une multitude de lumières afin de s'assurer que sa tenue était impeccable, à l'image de l'aura d'innocence qu'elle désirait dégager. Repoussant les pans de l'étoffe de velours derrière ses épaules, elle observa d'un regard critique la jupe de tulle incarnat[6] qu'elle portait à mi-cuisse et le haut d'un blanc virginal qui révélait à peine sa poitrine arrondie. Ceux-ci s'harmonisaient très bien avec le bustier noir lacé, les longs bas crème qui moulaient ses jambes jusqu'à ses genoux, ainsi que les souliers plats. Elle avait tout de l'apparence d'une jouvencelle et plus rien de la gourgandine aguicheuse, surtout avec ses cheveux teints en roux, séparés en deux queues de cheval juvéniles.

Comme touche finale à son costume, un loup de dentelle noir dissimulait le haut de son visage, mettant en valeur ses yeux brillants d'innocence. Avec d'infinies précautions, elle sortit d'une petite boîte deux griffes affûtées qu'elle inséra sur chacun de ses index, puis elle prit une profonde inspiration pour calmer les battements précipités de son cœur. Le bout des serres de

---

6. Incarnat : D'un rouge clair et vif.

métal avait été enduit d'une mixture foudroyante, la même que celle utilisée par les Pygmées sur la pointe de leurs flèches lorsqu'ils partaient à la chasse au sanglier. La quantité ne serait pas assez toxique pour tuer un homme, toutefois elle serait suffisante pour accomplir ses desseins.

• • •

Olivier déambulait entre les machines à sous bruyantes du casino, habillé d'un complet noir à la James Bond et d'un masque de satin. Léopold lui avait fait parvenir un carton d'invitation lui permettant de passer la sécurité sans encombre. Il pouvait donc fureter un peu partout en toute liberté. Cette opération impliquait cependant qu'il mène son enquête en solo, sans renfort pour couvrir ses arrières. Certes, il avait une équipe postée dans un périmètre de sécurité à l'extérieur, mais celle-ci était à bonne distance du bâtiment pour ne pas alerter les vigiles de St-Cyr.

Des preuves incriminantes avaient été retrouvées à l'entrepôt désaffecté. En les combinant aux documents que lui avait fournis par courriel Richard Cloutier plus tôt dans la journée, il était à deux doigts de pouvoir coffrer St-Cyr, ainsi que certaines des personnes présentes à cette soirée costumée. Il avait été le premier surpris que le détective privé accepte de collaborer avec lui quand il l'avait joint par téléphone. À croire que celui-ci n'attendait qu'une occasion pour se décharger de son fardeau. Ce dernier ne se sentait sûrement plus en sécurité, désormais. Le pauvre était sur des charbons ardents, plus que jamais certain d'être pris en filature par des limiers de St-Cyr. Selon lui, il avait échappé de justesse aux sbires de l'homme d'affaires après sa rencontre avec Angelika dans le parc, la veille. Il craignait pour sa propre vie, mais également pour celle de la jeune femme. C'était pourquoi il s'était décidé à lui transmettre toutes les informations compromettantes qu'il avait amassées au fil du temps. Il ne restait plus qu'à entrecouper ces données aux siennes.

Pour Olivier, c'était les preuves papier qu'il lui manquait pour appuyer davantage ses accusations contre le chef de l'organisation. Après cet appel, ce fut Bernard Tremblay qui le contacta, à la demande de Cloutier. L'avocat s'était montré plus prudent que son compère, préférant le voir en face à face avant de se compromettre. Ils avaient prévu un rendez-vous dans un lieu discret le lendemain. Malgré sa réticence, Tremblay l'avait assuré de son soutien juridique si Olivier arrivait à présenter un dossier solide devant la cour.

Olivier se frotta le menton, soucieux. Cloutier n'avait pas réussi à rejoindre Angelika Stojka par téléphone depuis leur rencontre de la veille dans le parc, tout comme Tremblay. Tous deux s'inquiétaient pour elle, si bien qu'Olivier lui-même éprouvait un sentiment d'urgence. St-Cyr pouvait à tout moment parvenir à assembler les pièces du casse-tête. Trop d'informations avaient pu transpirer du département de police depuis les événements survenus à l'auberge.

Il survola la salle où se trouvaient les machines à sous d'un regard circonspect. Au-dessus de lui, les écrans géants affichaient des scènes perturbantes, dignes des meilleurs films d'horreur. Une musique psychédélique jouait en arrière-fond, ajoutant à l'ambiance lugubre des lieux, et créant ainsi l'atmosphère parfaite pour cette soirée d'Halloween.

Se décidant à avancer, il contourna un petit groupe bruyant qui fixait avec frénésie la rangée de cylindres qui défilait devant leurs yeux. Soudain, il entraperçut une cape rouge au beau milieu de la foule, avant de la perdre de vue. Il délaissa aussitôt sa position pour se déplacer droit dans cette direction.

• • •

Léopold se fraya un passage parmi les tables de black jack et de roulettes, son identité dissimulée sous son costume de Joker. Il savait que Arnaud avait une nette préférence pour le jeu de poker, et c'était précisément ces tables recouvertes d'un tapis vert qu'il cherchait à rejoindre. Il appréhendait cependant d'y trouver aussi Angelika.

Ma fille..., songea-t-il avec une pointe de tristesse.

Il l'avait crue morte tout comme sa Lolita. D'apprendre qu'elle était en vie lui avait causé un choc, mais de découvrir dans la foulée qu'elle s'était transformée en un ange vengeur l'avait sidéré. Non pas qu'il craignait d'être tué de sa main, mais le sort que lui réserverait à coup sûr Arnaud s'il l'attrapait le hantait.

Il n'avait pas la fibre paternelle, mais il en avait lourd sur la conscience. Lolita était décédée par sa faute, et il n'avait rien fait pour empêcher le massacre de Malicia Stojka. Il refusait d'être de nouveau responsable du meurtre de l'un de ses proches. Là devait s'arrêter la suprématie de son cousin. Le problème, c'était qu'il ignorait tout de l'identité réelle de sa fille. Dans ces conditions, comment la retrouver avant St-Cyr, avec tous ces gens déguisés? Elle pouvait être n'importe qui dans cette marée humaine.

Le front en sueur sous sa grotesque perruque verte de Joker, il prit appui à l'une des tables électroniques. Fait étrange, l'écran sur le dessus, tout comme celui sur le mur arrière, était éteint, ce qui expliquait sans doute qu'il n'y ait personne dans les environs. Les deux mains à plat sur le rebord de métal, il s'efforça de faire le tri dans ses pensées. Depuis la veille, il se creusait les méninges pour tenter d'y voir plus clair, sans succès. Il n'arrivait à rien.

Frustré, il se frotta les paupières. Si ce maudit sergent avait au moins accepté de lui dire qui elle était, il n'en serait pas réduit à chercher à l'aveuglette.

— Fils de pute, marmonna-t-il avec humeur.

Il s'apprêtait à poursuivre sa tournée quand une étrange lueur attira son attention sur la vitre de la table de jeu. Il s'approcha de plus près, intrigué. Son sang ne fit qu'un tour dans ses veines lorsqu'un visage y apparut subitement. Il recula en poussant un cri étouffé, le cœur battant à tout rompre. Une sensation de froid engourdit ses membres, le paralysant sur place. Comme il levait les yeux vers l'écran au mur, une silhouette diffuse se précisa de plus en plus en arrière-plan, puis fonça sur lui, ses doigts crochus tendus devant elle, comme si elle s'apprêtait à sortir du moniteur géant pour se jeter sur lui.

Léopold agrippa le rebord de la table avec une telle énergie que ses jointures blanchirent. Puis, les poils de ses bras se hérissèrent quand il reconnût les traits défigurés par une rage meurtrière : Malicia Stojka. Des hurlements sinistres lui percèrent les tympans, une force invisible sembla vouloir le happer. Il poussa un cri strident et s'extirpa avec peine de cette attraction surnaturelle.

Les bruits environnants pénétrèrent le voile obscur qui l'entourait. La température de son corps, qui avait chuté de manière drastique, revint peu à peu à la normale. Autour de lui, les gens jetaient des regards mitigés dans sa direction. Avait-il été le seul à être victime de cette manifestation arrivée tout droit de l'enfer ? Il semblait que oui. Un paysage de fond marin réapparut sur l'écran accroché au mur, alors que la table s'illuminait à son tour d'une douce lumière bleutée.

Il déglutit avec difficulté, l'estomac retourné. Était-il en train d'halluciner ? Son esprit rationnel refusait de reconnaître le phénomène auquel il venait d'assister comme étant réel, mais tout son être en subissait les contrecoups. Il lui fallait se reprendre avant de rejoindre Arnaud, sinon, son état d'agitation paraîtrait suspect. Au moment où il se détourna du moniteur, plusieurs formes floues se mirent à onduler à son insu dans le décor océanique. Toutes criaient vengeance...

CHAPITRE 22

Mais attention, il faut être malin…

Angelika reconnut sans difficulté Arnaud St-Cyr parmi les joueurs regroupés à la table de poker. Comme à son habitude, il était entouré de trois hommes de main. Il jouait gros, et des escortes à peine voilées papillonnaient autour d'eux pour distraire ses adversaires. Pour sa part, elle se savait méconnaissable sous son déguisement et l'aura de candeur qu'elle dégageait.

Elle inséra une sucette ovale entre ses lèvres pulpeuses dans un lent mouvement de va-et-vient. L'attention d'Arnaud fut immédiatement captée par le contraste émoustillant que représentaient le geste impudique auquel elle se livrait et la tenue de péronnelle qu'elle arborait. Le regard qu'elle posa sur lui de l'autre côté de la table n'avait rien d'innocent, au contraire, il se voulait envoûtant, empli de promesses sensuelles. Sur la corde raide depuis deux jours, Arnaud se sentait plus que jamais attiré par l'avilissement, aspirant à lâcher la bride à ses pulsations sadiques.

Il s'imaginait très bien entraînant cette ingénue dans une pièce isolée pour pouvoir lui arracher ses vêtements, ne gardant que son masque, ses bas blancs et sa culotte. Il lui attacherait les poignets et les coudes à une barre de métal fixée dans son dos, et exercerait une traction douloureuse sur ses épaules afin de forcer sa poitrine à ressortir. Agenouillée sur une table, près du rebord, les cuisses entrouvertes, elle serait à sa merci, soumise, à l'exemple de ce dont il se délectait.

Il insérerait d'abord un maillet lubrifié dans son antre et l'enfoncerait en effectuant de larges mouvements circulaires pour bien l'assouplir. Après, il lui réserverait un traitement de son cru qui la ferait hurler autant de plaisir que de souffrance, un mélange qu'il manipulait avec un art divin. Le bâton qu'il utiliserait était unique en son genre, diffusant sur commande de légères décharges électriques qui avait un effet dévastateur sur ses victimes. Quel délice de la regarder s'arquer en poussant des râles d'agonie, de prolonger cette torture jouissive !

Rien que d'y songer, il bandait. D'autant plus que l'objet de ses fantasmes s'était rapproché de lui en sortant le bout de sa langue rose pour la passer sur ses lèvres reluisantes. Il voyait déjà cette bouche aguicheuse se refermer autour de son pénis. S'emparant de son poignet au passage, il l'attira vers lui, les yeux allumés par une flamme concupiscente. Cette fille ignorait à quoi elle venait de s'exposer en le provoquant de la sorte.

Il avait beau avoir un *full*[7] entre les mains, il ne s'en préoccupait plus. Sa partie de poker perdait tout intérêt. Il voulait cette gueuse, aspirait à décharger sur elle toute la frustration qui l'habitait. Lui soutirer des hurlements serait un régal pour ses sens ; la torturer, un excellent dériveur à sa soif de vengeance à l'égard de cette maudite Louve. Lorsqu'il en aurait terminé avec cette petite, il serait en appétit pour la suite du programme ; infliger les pires supplices à cette garce d'Angelika Stojka quand il l'aurait capturée. Une fois entre ses mains, il prendrait son temps pour la dépecer morceau par morceau.

---

7. *Full* : Au poker, réunion d'un brelan et d'une paire.

Dès l'instant où Angelika décela la lueur de folie dans les prunelles d'Arnaud, elle le contourna pour se placer derrière lui, frôlant sa nuque d'une caresse légère. L'un des hommes de main s'avança, méfiant, mais Arnaud l'arrêta d'un signe. En réponse, des lèvres chaudes mordillèrent le lobe de son oreille et des seins fermes se pressèrent contre son dos. Convaincu qu'il ne risquait rien entouré de ses gardes du corps et de ses invités, Arnaud profita des attentions de la fille, la laissant jouer un peu avec lui. Pendant ce temps, son sang s'échauffait dans ses veines, nourrissant davantage son imagination fertile.

Angelika se décala pour déboutonner le haut de la chemise de l'homme d'affaires, et faufila ses doigts fins sous la soie. Dans la foulée, elle déposa son autre main sur l'une de ses cuisses, la glissa jusqu'à son entrejambe afin de caresser sa verge en toute impunité. La bouche d'Arnaud s'étira dans un sourire carnassier. Angelika se pencha vers lui, mordilla sa lèvre inférieure en le taquinant. Au même moment, elle écorcha son torse de sa griffe enduit de poison, entaillant la peau.

Arnaud eut un geste de recul en émettant un grommellement. Sourcils froncés, il s'apprêtait à la repousser avec rudesse, mais elle lécha ses lèvres avec sensualité pour détourner son attention, tout en continuant de cajoler son sexe durci sur toute sa longueur. Elle avait besoin d'environ une minute pour que la toxine se diffuse dans le sang de St-Cyr et qu'elle commence à agir. Tout d'abord, ce dernier ressentirait un léger engourdissement, comme un fourmillement dans tout son corps, puis ses bras et ses jambes se paralyseraient graduellement. Pour finir, sa langue s'appesantirait, l'empêchant de prononcer le moindre mot compréhensible. Quand il prendrait conscience de sa détresse physique, il serait trop tard pour réagir.

Mine de rien, elle se redressa un peu, juste assez pour croiser son regard. La verge perdait déjà de sa vigueur sous sa paume, les bras de St-Cyr retombaient avec lourdeur le long de ses hanches. Ce fut alors qu'elle laissa transparaître dans ses prunelles toute la haine qui l'animait. Elle vit celles de son ennemi se dilater dès l'instant où il devina son identité. La bouche devenue pâteuse, il fut incapable d'avertir ses hommes.

— Tu vas mourir ce soir, chuchota-t-elle à son oreille.

Puis, elle se releva avec vivacité en émettant un cri effrayé pour donner le change. Alertés à leur tour, les trois gardes la repoussèrent avec rudesse pour se porter au-devant de leur patron. En constatant son état catatonique, ils furent pris de court. Puis, l'un d'eux retrouva ses esprits.

— Amenez-le à la voiture! ordonna-t-il à ses deux compères. Nous devons le sortir d'ici!

Se retournant vers Angelika, il l'empoigna avec dureté par le bras, puis lui arracha son masque. En la reconnaissant, il vit rouge et la frappa d'un brutal coup de poing. Des larmes montèrent aux yeux d'Angelika. Sa joue droite tuméfiée commençait déjà à l'élancer, mais elle s'efforça de refouler cette douleur afin de demeurer concentrée sur son objectif. Dans la salle, des protestations fusèrent de la part des invités assemblés autour de la table de jeu.

— Tu viens avec moi! rugit son agresseur en la ramenant vers lui et en repoussant les curieux.

Il était hors de question que cette garce lui échappe ou qu'il laisse qui que ce soit s'interposer. De sa main libre, il l'agrippa par l'une de ses queues de cheval, puis tira dessus avec sauvagerie pour l'obliger à avancer. Angelika émit une faible complainte sous la douleur et obtempéra sans opposer de résistance. Après tout, elle tenait à aller dans la voiture de St-Cyr.

Olivier eut tout de suite conscience du remue-ménage dans la section de poker à son entrée dans la salle. En apercevant les deux gardes qui soutenaient Arnaud avec peine en cherchant à l'entraîner vers la sortie de secours située à l'arrière, il comprit qu'un élément clochait, d'autant plus qu'un troisième obligeait une fille portant une cape rouge à le suivre de force. Personne ne s'interposa, par crainte de représailles. En pressentant que la malheureuse qui serait embarquée n'était nulle autre qu'Angelika Stojka, il fonça sur eux pour les intercepter.

Léopold, qui avait repéré le sergent quelques secondes plus tôt, fut gagné à son tour d'un sentiment funeste en le voyant se précipiter derrière le groupe d'Arnaud. Il avait à peine entra-perçu les traits de la pauvre, mais il devinait d'instinct qu'il s'agis-sait de sa fille. Qui, sinon elle, aurait pu provoquer une telle commotion au cœur de cette petite fête privée?

Bousculant un couple sur son passage, il bifurqua dans un couloir réservé au personnel, sachant déjà que celui-ci le mène-rait à la sortie d'urgence. Une voiture les y attendait toujours au besoin, ainsi que deux vigiles postés sur place, en guise de ren-fort. Il courut vers la porte qui s'était refermée derrière Arnaud. Il atteignit les lieux avant Olivier et repoussa le battant d'une brusque poussée. L'un des gardes releva aussitôt son pistolet dans sa direction. Léopold l'apostropha d'emblée.

— Qu'est-il arrivé à Arnaud? demanda-t-il en feignant l'inquiétude.

En reconnaissant le cousin de son patron, l'homme abaissa son fusil.

— Nous l'ignorons! répondit ce dernier d'une voix blanche. Nous devons le ramener en lieu sûr.

— Je viens avec vous! décréta Léopold en s'avançant d'un pas vif vers la voiture, sans leur laisser la possibilité de s'y opposer.

Il y était presque quand le sergent débarla à son tour dans la ruelle, son arme en main. Avant même qu'il ne puisse l'avertir du danger qu'il encourait, un coup de feu fut tiré dans sa direction. Olivier riposta, tuant son assaillant d'une seule balle. Alors qu'il plongeait derrière une benne à ordure, une seconde détonation retentit. Il se réceptionna sur le sol en jurant, conscient de se retrouver dans une position fâcheuse. Il devait trouver le moyen de prévenir son escouade.

Le molosse qui tenait Angelika captive la repoussa par terre avec vigueur afin de pouvoir dégainer à son tour. Il devait protéger son patron pendant que ses compères s'efforçaient de le mettre à l'abri à l'intérieur de la voiture, mais le corps mou de ce dernier rendait leur tâche difficile. Il ne s'attendait pas non plus à ce que Léopold prenne l'arme de l'homme abattu à ses côtés pour la retourner ensuite contre lui. Une fraction de seconde plus tard, il s'écroula au sol comme une masse, une balle logée entre les deux yeux.

Angelika, qui n'avait pas vu d'où provenait le tir, s'empressa d'arracher le pistolet des doigts inertes du garde mort afin de s'en emparer.

Observant prudemment la scène pour évaluer la situation, Olivier aperçut avec effarement Léopold abattre un deuxième vigile dans le dos. Ce dernier fut propulsé face contre terre. Olivier releva la tête en direction de la voiture, à la recherche de la jeune femme. Il ne croyait pas que Léopold ouvrirait le feu sur lui, mais il préférait ne pas tenter sa chance malgré tout; il demeura à couvert.

Les deux sbires restants qui s'occupaient d'Arnaud St-Cyr se redressèrent d'un élan, une expression de stupéfaction peinte sur le visage. Angelika en supprima un avec une précision dérangeante qui laissa Léopold abasourdi. Consciente de la menace qu'il représentait, ainsi que le deuxième garde toujours en vie, elle hésita une fraction de seconde entre les deux cibles. Ce fut suffisant pour octroyer à l'homme de main le temps nécessaire pour la viser. Olivier leva son fusil et le tua avant même qu'il n'ait pu appuyer sur la détente.

Angelika braqua alors son pistolet sur Léopold en tremblant, confuse. Elle ne comprenait pas ce qui venait de se produire. À croire que ce porc de Boyer avait voulu la protéger, ce qui était absurde. Quant au second tireur, elle fut étonnée en le reconnaissant.

— Angelika, lâchez votre arme, recommanda Olivier d'une voix posée.

— Il doit payer! déclara-t-elle sans pitié, en désignant Léopold du menton.

— C'est vrai! Mais pas de cette manière! chercha-t-il à la convaincre. La justice s'occupera de le condamner, je vous le garantis. Je suis l'inspecteur chargé d'enquêter sur l'organisation de St-Cyr.

— Je sais qui vous êtes, le coupa-t-elle d'emblée. Elle m'en a informé.

— Qui ça? l'interrogea Olivier avec un malaise naissant.

— L'étrangère mystérieuse avec un *look* gothique, celle qui est morte. Elle m'a dit qui vous étiez, et que je pouvais vous faire confiance.

Olivier s'arrêta net dans son élan. Que la jeune femme mentionne l'inconnue avec tant de familiarité était déconcertant. Il secoua la tête. Il avait l'impression de nager en eau trouble, et toute cette histoire de dingue commençait sérieusement à le faire tourner en bourrique.

— Écoutez...

— Non! l'interrompit-elle d'un ton sec. Aucun jury ne sera assez fiable pour condamner ces deux monstres. Justice doit être rendue!

Affermissant sa prise, elle visa Léopold droit au cœur, puis appuya sur la détente.

— Angelika, non! cria Olivier en se ruant sur Léopold pour le repousser.

Mais la balle atteignit sa cible. Profitant de la confusion passagère du sergent, elle s'empressa de se glisser derrière le volant et de démarrer en trombe. Olivier jura en se mettant à genoux, près de Léopold. L'agent s'efforça d'effectuer une pression sur la poitrine de son informateur, mais il savait d'avance qu'il était condamné. La précision du tir ne laissait planer aucun doute.

— Proté... protégez... -la..., murmura Léopold d'une voix faible avant de rendre son dernier souffle.

— Bordel, c'est pas vrai! mugit Olivier en se relevant d'un bond.

D'un coup de pied furieux, il fit voltiger une bouteille vide contre un mur. Le récipient de verre éclata en mille morceaux contre la brique. Angelika Stojka venait de prendre la fuite avec Arnaud St-Cyr. Il devrait en temps normal appeler des renforts, mais il en était incapable. Il ne voulait pas que cette histoire se termine dans une chasse à l'homme. Les crimes qu'Angelika Stojka commettait étaient crapuleux, il le concédait, mais il ne pouvait s'empêcher malgré tout de les approuver. Départagé entre le serment qu'il avait prononcé en tant que policier et la rancœur ressentie à la pensée de toutes ces fillettes offertes en pâturage par le groupe de St-Cyr, il se sentit déchiré.

Ce serpent avait les mains couvertes de sang; qu'il soit damné, s'il permettait que la jeune femme soit abattue par sa faute. Pour la première fois de sa vie, Olivier mit au rebut les principes qui régissaient son monde et se précipita vers sa propre voiture sans alerter ses hommes. Il irait seul à la poursuite d'Angelika Stojka. Il avait une bonne idée de l'endroit où elle se dirigeait.

CHAPITRE 23

Sans attendre, elle quitta
le chemin pour entrer dans le sous-bois

A rnaud se réveilla avec la désagréable sensation d'avoir une enclume à la place du cerveau. D'autant plus que les soubresauts qui l'agitaient accentuaient le martèlement contre ses tempes. Désorienté, il prit quelques minutes avant de se rendre compte qu'il se trouvait dans une position fâcheuse. Comment diable s'était-il retrouvé allongé sur la banquette arrière d'une voiture? Une seconde secousse la remua à nouveau, lui faisant prendre conscience qu'ils empruntaient un chemin cahoteux. En parcourant l'habitacle des yeux à la recherche d'indices sur l'identité de ses ravisseurs, il remarqua le dos d'un capuchon rouge derrière le volant.

Certain d'être en péril, il tenta de se remémorer les derniers événements survenus avant qu'il ne sombre dans un puits noir sans fond, mais ses souvenirs demeuraient confus, tournants en une ronde folle dans son esprit. À peine se rappelait-il de la brise du soir glissant sur son visage brûlant à sa sortie du casino. Déterminé à se tirer de ce pétrin, il s'obligea à bouger les doigts et les mains, puis se risqua à soulever un bras. Il avait la sensation d'être fourbu, sans pouvoir s'en expliquer la raison. Il pesta contre lui-même, irrité de se retrouver aussi vulnérable qu'un bébé naissant.

La voiture fit de nouveau une embardée, le repoussant contre le dossier du banc d'un mouvement brusque. Un éclair de douleur traversa son crâne, lui arrachant un grognement qu'il s'empressa d'étouffer. Il était préférable que le conducteur n'ait pas conscience qu'il était éveillé. S'il n'était pas entravé, c'était assurément parce que son agresseur le croyait inoffensif pour l'instant. Il n'y comprenait rien. Il aurait dû en temps normal être entouré de ses hommes. Après tout, il ne sortait jamais sans sa garde rapprochée. Il plissa les yeux pour s'efforcer d'ajuster sa vision qui tardait à redevenir claire.

« Saloperie de merde ! »

Que s'était-il passé ? Il se massa le front, dans une vaine tentative pour diminuer le mal de tête carabiné qui l'accablait.

La voiture effectua un tournant serré, manquant de peu de le renverser en bas du siège. Il se rattrapa de justesse. Par chance, il commençait à retrouver de sa mobilité, et des fragments de souvenirs refaisaient graduellement surface dans sa mémoire. D'emblée, il reconnut le vêtement de la conductrice. Il s'agissait de la cape de cette satanée Louve ; Angelika Stojka. Il ignorait de quelle façon elle était parvenue à se débarrasser de ses gardes, ce qui ne le rassurait guère. Ses hommes avaient une carrure de lutteur. Ça n'avait aucun sens ! Comment avait-elle fait pour tromper leur vigilance et l'enlever sous leur nez ?

Sa fureur reprenant le dessus, les derniers lambeaux de brume qui demeuraient encore accrochés à son cerveau disparurent. Si ses employés étaient trop incompétents pour se charger d'une simple prostituée, il s'en occuperait lui-même, fut-elle de sang tsigane ou non. Il n'était pas dit que cette garce se moquerait de lui davantage. Il prendrait plaisir à la tuer de ses mains.

Avec lenteur, il glissa peu à peu sa ceinture hors des ganses de son pantalon afin de pouvoir s'en servir comme arme. Une fois fait, il attendit le moment propice pour attaquer. Il ne fallait pas se précipiter.

Inconsciente de la menace qui planait sur elle, Angelika poursuivait sa route, son regard rivé sur le chemin presque impraticable. Il y avait une éternité que personne n'avait emprunté cette route. C'était tout juste si elle avait été en mesure de retrouver le trajet, parmi les fougères et les herbes hautes. La nature avait repris ses droits depuis belle lurette, plusieurs années s'étant écoulées depuis le massacre de sa grand-mère. Un étau se referma autour de son cœur à cette pensée, le compressant.

Elle devait tenir jusqu'au bout, sa vengeance étant à portée de mains. Bientôt, le dernier des monstres responsables du meurtre des siens paierait de sa vie pour ses actes infâmes. Le monde serait débarrassé à tout jamais de cette pourriture, et Angelika serait enfin libérée de son serment. Mettre fin à l'existence des cinq compères de St-Arnaud s'était révélé éprouvant, mais ce serait peu de chose en comparaison de ce qu'elle s'apprêtait à commettre. Une part de son humanité l'avait quittée à chacune des exécutions, mais cette fois-ci, elle risquait de se perdre définitivement.

Crispant les doigts sur le volant, elle effectua le dernier virage, puis s'arrêta. Ses phares illuminaient la demeure délabrée qui lui avait jadis servi de maison. Une vague de nostalgie s'empara d'elle ; une larme traîtresse roula sur sa joue. Elle était sur le point de l'essuyer d'un geste agacé quand une bande s'enroula autour de son cou sans avertissement, l'étranglant. Derrière elle, Arnaud tira de toutes ses forces sur les deux extrémités, cherchant à l'étouffer. Angelika s'efforça de desserrer l'étau qui comprimait sa gorge, mais la ceinture de cuir s'incrustait dans sa chair, ne lui offrant aucune prise. Elle battit des pieds contre les pédales, paniquée. L'air commença à se raréfier dans ses poumons, des taches lumineuses à danser devant ses yeux. Un éclair de lucidité traversa son esprit in extremis : le pistolet. Avec frénésie, elle tâta le siège du passager pour tenter d'attraper l'arme. Elle était près de s'évanouir, et Dieu seul sait quel sort lui réserverait alors St-Cyr. Se maudissant pour son imprudence, elle tendit ses doigts dans un dernier effort pour saisir le fusil. Au moment où elle n'y croyait plus, elle effleura le métal froid de la crosse. Avec l'énergie du désespoir, elle s'étira au maximum pour empoigner le manche et le ramener vers elle.

Quand Arnaud prit conscience de la menace, il était trop tard pour la contrecarrer. Dans un cri de rage, il relâcha son emprise sur la ceinture et repoussa avec vigueur la tête d'Angelika contre le tableau de bord. Le front de celle-ci heurta avec rudesse le volant, laissant à St-Cyr de précieuses secondes pour fuir. Il ouvrit la portière arrière pour s'élancer vers le couvert des arbres. Il devait mettre le plus de distance possible entre lui et cette gueuse. Par la suite, il s'efforcerait de la prendre par surprise pour la désarmer et lui régler son compte.

• • •

Olivier s'énervait dans sa voiture. Cela faisait près d'une heure qu'il roulait, et malgré sa faible vitesse, il semblait incapable de retrouver l'entrée du chemin qui le mènerait à la cabane de Malicia Stojka. Il était certain pourtant que c'était à cet endroit qu'Angelika conduisait Arnaud. Après tout, n'était-ce pas en ces lieux que tout avait commencé ? Malheureusement, il n'y arrivait pas, et cela en dépit de la lueur de ses phares. Soudain, sorties de nulle part, des prunelles brillèrent dans le faisceau des lumières, le prenant par surprise.

— Merde! s'écria-t-il en enfonçant au fond la pédale de frein.

Ses pneus crissèrent sur la chaussée alors que l'arrière de sa voiture dérapait, le projetant vers le bas-côté. Le véhicule effectua un tête à queue avant de s'immobiliser sur l'accotement. Sous le choc, il demeura accroché à son volant, son sang battant dans ses oreilles. Un frisson le parcourut quand retentirent des hurlements sinistres. Des loups, songea-t-il aussitôt, non sans inquiétude. Il eut tout juste le temps de se faire cette réflexion, que des bêtes énormes bondissaient du milieu de la route pour s'enfoncer dans les bois.

— Nom de Dieu! lâcha-t-il en reculant dans son banc.

Pour une raison obscure, il se remémora le meurtre de Boucher, ainsi que son face à face avec le même loup à l'auberge. Se pouvait-il qu'il y ait en définitive un lien entre Angelika Stojka et ces canidés sauvages? Après tout, elle se faisait appeler «la Louve».

— Saloperie!

Embrayant la transmission, il repartit. Il devait à tout prix retrouver le chemin qui conduisait à la cabane de Malicia Stojka.

• • •

Angelika sortit de la voiture en titubant. Elle porta une main à la blessure qui saignait à son front, puis se secoua pour reprendre ses esprits. Il était impératif qu'elle reste lucide. Son passé était peut-être jonché d'horreurs, mais il n'en demeurait pas moins qu'elle se trouvait désormais en terrain connu. Il lui suffisait de contacter son loup à travers le lien qui les unissait et il viendrait, elle en avait la certitude. Les jambes flageolantes, elle se laissa tomber sur les genoux, son corps drapé de sa cape de velours pour tenter de se garder au chaud.

Elle ignorait combien de minutes elle demeura prostrée de la sorte, seule au monde, mais tout à coup, une présence familière s'approcha d'elle à pas feutrés. Une langue râpeuse lécha la plaie sur sa tête. Angelika entoura de ses bras le cou musclé de son loup, enfouit son visage dans la fourrure et respira avec bonheur l'odeur boisée qui s'en dégageait.

— Merci…, murmura-t-elle, la gorge étreinte.

Il y avait longtemps qu'un être vivant n'avait pas fait preuve d'autant de sollicitude à son encontre. Malgré elle, des larmes roulèrent sur ses joues, s'égarant dans les poils sombres. Elle n'était plus seule pour affronter l'ennemi. L'alpha à ses côtés veillerait sur elle. Relevant les yeux, elle se perdit dans les prunelles d'un jaune doré qui étincelaient à la ferveur d'un éclat de lune.

— Il faut le retrouver, chuchota-t-elle d'une voix rauque. Il doit mourir…

En guise de réponse, la bête recula, puis poussa un hurlement lugubre qui rappela sa meute à lui. Angelika le contempla avec fascination bondir dans les fourrés en compagnie des siens. Elle se redressa à toute vitesse à son tour et s'élança à leur suite, galvanisée par une énergie surnaturelle, comme si elle ne faisait plus qu'un avec l'animal qui la guidait dans la nuit.

• • •

Arnaud St-Cyr se plia en deux pour tenter de reprendre son souffle. Il était perdu, n'arrivant pas à s'orienter dans la forêt. Avec le couvert des arbres, il lui était impossible de se repérer à l'aide des étoiles. De plus, son cellulaire ne captait aucun signal en ces lieux reculés, loin de toute civilisation. Il pourrait errer des jours entiers sans rencontrer âme qui vive, et cette situation périlleuse, il la devait à cette maudite Tsigane. Elle était bien la digne petite-fille de cette sorcière. À croire que cette dernière lui avait jeté un sort avant de mourir. Dans un ricanement cynique, il tourna sur lui-même, à la recherche d'une indication susceptible de l'aider.

— Sale garce! cria-t-il dans la nuit avec exaspération. J'aurai ta peau!

Comme il prononçait ces mots, des grognements redoutables retentirent, lui faisant dresser les cheveux sur la tête. Il tressaillit, chercha à percer l'obscurité. Puis, n'écoutant que son instinct de survie, il commença à courir, espérant échapper à la menace qui couvait dans le sous-bois. Comme si ses poursuivants avaient attendu ce signal pour l'attaquer, d'autres loups surgirent pour se lancer à sa poursuite, gagnant rapidement du terrain.

Deux bêtes massives sautèrent sur son dos. Arnaud se sentit projeté avec une force colossale contre le sol. D'instinct, il déploya ses mains devant lui pour amortir le choc. Il s'affala de tout son long, le visage déformé par la peur. Avant même qu'il ne puisse se retourner, une mâchoire puissante se referma sur l'arrière de sa cuisse droite, arrachant un morceau de chair, ainsi qu'un fragment de muscle d'où pendirent mollement des lambeaux visqueux. Arnaud poussa un cri inhumain. Perdu dans les affres de la douleur, il ne vit pas la lourde branche s'abattre sur sa tête. Une souffrance insoutenable explosa sous son crâne, le plongeant dans les ténèbres.

Angelika le surplomba, un bout de bois massif entre les mains. À son signal, son loup attrapa l'épaule d'Arnaud dans sa gueule et le tira jusqu'à la cabane avec l'aide des membres de sa meute, comme ils l'auraient fait avec une carcasse de cerf.

CHAPITRE 24

À la fin il glissa et ne put plus se retenir

Lorsque Arnaud revint à lui, il était suspendu aux poutres d'un plafond, les deux bras maintenus en l'air en forme de V. Quant à ses pieds, ils étaient écartelés et immobilisés grâce à des liens solides fixés à deux meubles de bois ayant connu des jours meilleurs. Un feu brûlait dans l'âtre décrépit, mais ne parvenait pas à réchauffer son corps nu et frigorifié. Jamais il ne s'était senti aussi impuissant qu'en cet instant, surtout que ses parties génitales pendaient entre ses cuisses, offertes à la vindicte de son bourreau.

Il chercha à se libérer de ses entraves, mais une douleur lancinante derrière sa jambe droite se rappela à lui de manière cruelle. Du sang ruisselait le long de son mollet. Lorsqu'il pencha la tête vers le sol, il remarqua qu'une mare opaque se formait déjà sous ses pieds.

— Où es-tu ? cria-t-il, ne voyant personne dans les parages.

Le silence lourd qui régnait sur les lieux parut vouloir s'intensifier, jouant sur ses nerfs déjà malmenés. Maintenant qu'il y voyait plus clair, il reconnaissait l'endroit. Il s'agissait de la cabane de Malicia Stojka, un présage de mauvais augure pour lui.

— Putain ! s'écria-t-il, la peur au ventre.

Sa blessure lui faisait un mal de chien, l'empêchant de réfléchir de manière judicieuse. En réponse à ses jurons, des murmures filtrèrent dans la nuit, alors que des mains se moulèrent dans les murs, poussant contre les parois comme si elles cherchaient à s'en extraire. Des grincements sinistres retentirent dans les coins obscurs de la pièce, puis des formes floues semblèrent y prendre vie, se traînant jusqu'à lui en gesticulant sur le sol jonché de feuilles séchées. Du sang chuinta du plafond, s'écrasant sur sa peau recouverte de chair de poule. Arnaud hurla de frayeur. Les spectres qui glissaient vers lui le fixaient de leurs yeux aussi sombres que les ténèbres, un rictus grossier déformant leur visage. Terrorisé, Arnaud se débattit comme un diable dans l'eau bénite, s'écorchant à vif les poignets et les chevilles.

— À mort…, susurrèrent les voix d'un ton lugubre. À mort…

— Nooooooooooooooooon! s'écria-t-il, le regard fou.

Au même instant, la porte s'ouvrit d'un brusque coup de pied sur sa droite, allant percuter contre le mur. La carrure d'un homme apparut dans l'encadrement. Arnaud hurla de plus belle.

— Taisez-vous, St-Cyr! gronda une intonation masculine avec sécheresse.

Olivier pénétra dans la cabane d'un pas prudent. Il ne savait pas à quoi s'attendre en arrivant sur place, mais certainement pas à cette scène sinistre. St-Cyr était en piteux état et paraissait avoir perdu la raison. Olivier avait souhaité qu'il meure, certes, mais pas de cette manière. En outre, il avait réfléchi en chemin et en était venu à la conclusion qu'il ne pourrait pas cautionner un meurtre de sang-froid. Sinon, plus jamais il ne parviendrait à se regarder dans un miroir.

— Ils sont partout! clama Arnaud. Ils sont là pour me tuer!

— Bon sang, St-Cyr! Fermez votre gueule! Il n'y a personne ici à part nous deux.

Arnaud promena des yeux déments autour de lui. Les êtres maléfiques qui avaient voulu s'emparer de son âme s'étaient peut-être volatilisés, mais ils n'étaient pas partis pour autant. Il ressentait toujours leur présence enténébrée. Ils devaient quitter cet endroit maudit avant qu'il ne soit dévoré. L'esprit embrouillé, il observa l'homme qui s'approchait de lui pour le détacher. Alors qu'Olivier s'efforçait de dénouer les liens qui le retenaient, un déclic familier retentit derrière lui ; le bruit du chien d'un fusil qu'on armait.

— Reculez, sergent, décréta Angelika, qui venait d'apparaître sur le seuil de la porte.

Olivier se retourna avec lenteur. Il ne put s'empêcher de tressaillir en apercevant la bête énorme qui se tenait à la gauche de la jeune femme, la même qu'il avait croisée à l'auberge. Les dernières pièces du casse-tête s'emboîtèrent. Ainsi, Angelika Stojka était bel et bien responsable du meurtre de Boucher, tel qu'il l'avait suspecté.

— Il vous appartient, n'est-ce pas ? déclara-t-il avec une pointe d'anxiété.

— Mon loup n'est la propriété de personne. Il est libre.

Un pli barra le front d'Olivier. Il était médusé, n'arrivant pas à comprendre comment un animal sauvage de cet acabit pouvait tolérer la présence d'un humain à ses côtés sans chercher à lui sauter à la gorge. Sans doute, sa défiance dut transparaître dans son expression, car les traits d'Angelika se radoucirent.

— C'est lui qui m'a protégée des rottweilers lancés à mes trousses, quand j'étais petite. Il m'a sauvé, au péril de sa vie. Il faisait partie de ma famille à l'époque, et aujourd'hui c'est moi qui ai intégré sa meute.

En prononçant ces mots lourds de sens, plusieurs yeux se mirent à briller dans l'obscurité ; une dizaine de loups s'avancèrent de concert, se massant derrière elle. Olivier comprit dès lors qu'il ne ressortirait pas vivant de cet endroit s'il s'interposait. Toutefois, il ne pouvait pas baisser les bras sans lutter. Il devait lui faire entendre raison. Dans son dos, la respiration de St-Cyr devenait de plus en plus erratique.

— Attendez...

— J'ai vous ai dit de reculer, sergent, le coupa-t-elle d'un ton rude en pointant l'arme sur lui.

— Angelika, ne faites pas ça, insista-t-il.

— Je ne le répéterai pas. Ne m'obligez pas à faire feu sur vous.

Olivier sentit une sueur froide coulée le long de sa colonne vertébrale. Il voyait à ses traits durcis qu'il n'y avait rien à faire. Angelika irait jusqu'au bout de sa vengeance, quoi qu'il en coûte.

— Vous ne pouvez pas...

Le reste de sa phrase se perdit dans une explosion de douleur quand une balle traversa son épaule, le faisant basculer vers l'arrière. Il s'affala sur le sol dans un gémissement rauque. Par réflexe, il porta une main à la plaie béante afin de tenter d'endiguer le flot rougeâtre qui s'en échappait. Angelika se pencha à sa hauteur en lui tendant la chemise de soie de St-Cyr.

— Pressez-la contre votre blessure, sergent, si vous ne désirez pas vous vider de votre sang. Je n'ai pas touché d'artères ou d'organes vitaux.

Olivier crut voir passer une vague lueur de regret dans ses prunelles avant qu'elle ne le fouille avec minutie. Elle le délesta de son arme de service, puis se releva, sans un seul autre regard dans sa direction. Dès qu'elle s'éloigna, deux loups se plantèrent devant lui. Il grimaça. Le sort de St-Cyr ne lui appartenait plus. Il eut soudain une pensée pour Léopold Boyer, au fait qu'il était le père d'Angelika. Il était certain que la jeune femme ignorait tout de la vérité. Devait-il la lui révéler? Il eut un doute à ce sujet. Le poids qu'Angelika Stojka portait sur ses épaules lui paraissait suffisamment lourd sans qu'il rajoute à son fardeau. Autant apporter ce secret avec lui dans sa tombe... Drainé de toute force, il lâcha prise et ferma les paupières en laissant retomber sa tête vers l'arrière.

De son côté, Angelika préféra ne pas s'appesantir sur le destin du policier, sa conscience déjà tourmentée par son geste. Elle s'était pourtant juré de ne pas s'attaquer aux innocents. S'approchant du foyer, elle s'empara d'une tige de métal effilée et se retourna vers St-Cyr, une expression lugubre sur le visage. Les prunelles de ce dernier se dilatèrent de frayeur.

— N... Non... Non, pit... itié..., la supplia-t-il.

Ses gémissements lamentables laissèrent Angelika de marbre. L'homme devant elle avait perdu toute dignité, il n'était plus qu'une loque. Son regard se durcit.

— As-tu seulement éprouvé la moindre pitié pour ces fillettes que tu as violées et offertes en pâturage aux pourritures de ton espèce? cracha-t-elle avec aigreur.

Arnaud secoua la tête de manière saccadée en hoquetant. Il ne lisait aucune bienveillance sur le visage de sa tortionnaire. Tout son être se révulsa, puis ses yeux s'écarquillèrent en la voyant prendre son élan pour planter la tige dans son abdomen. Il ouvrit la bouche pour hurler, mais son cri se transforma en un gargouillement funeste dès qu'Angelika enfonça la pointe dans son ventre. Rencontrant une légère résistance, elle poussa avec plus de vigueur, perforant l'intestin. Arnaud s'arc-bouta dans un râle d'agonie, puis fut saisi de convulsions alors qu'elle fouillait ses entrailles, le plongeant dans un supplice insupportable. Sur le point de défaillir, il n'entendit pas le chuintement sinistre lorsque la jeune femme ressortit avec brusquerie la tige de son corps, déchirant la chair au passage. Du sang dégoulina de l'extrémité rougie, d'où pendaient des filaments organiques. Écœurée, Angelika lança son arme de fortune vers le coin de la pièce. Arnaud eut à peine une réaction, car déjà un voile sombre commençait à descendre devant ses yeux, l'emportant vers les ténèbres.

Avec un goût de cendre dans la bouche, Angelika saisit un récipient afin de récupérer le liquide vermillon qui s'écoulait de la plaie. Avant de le porter à ses lèvres pour en boire le contenu, elle marmonna une courte prière à l'intention des défunts de sa famille. Puis, après une caresse légère sur le sommet de la tête de son loup, elle se détourna pour quitter les lieux. Au moment de franchir le seuil de la porte, elle reporta son regard sur l'animal.

— Il est à toi, souffla-t-elle d'une voix ténue.

L'alpha fixa ses prunelles étincelantes sur l'homme. Il ouvrit sa gueule, révélant deux rangées de dents redoutables, puis se jeta sur les parties intimes de ce dernier. Il arracha d'un coup de mâchoire les deux testicules, ainsi que le pénis flageolant. Arnaud poussa un cri qui glaça le sang d'Olivier. Les traits de son visage se figèrent dans un rictus grossier. Le silence qui s'en suivit en fut d'autant plus pétrifiant. Olivier demeura les paupières closes, le corps parcouru de tremblements.

À l'extérieur, Angelika releva les yeux vers le ciel dégagé, où brillait une multitude d'étoiles. Plusieurs lui semblèrent scintiller d'une lumière particulière. Elle sentit une présence sur sa droite, alors que la brise faisait virevolter quelques mèches de ses cheveux. Elle coinça l'une d'elles derrière son oreille en se tournant vers la créature éthérée.

— Je suis maintenant libérée de l'emprise de ces êtres ignobles grâce à toi, chuchota la voix juvénile. Merci !

Angelika scruta avec attention l'étrangère mystérieuse. Une sérénité nouvelle émanait d'elle, apaisant son esprit agité.

— Ta grand-mère et ta mère reposent désormais en paix. Ne les oublie pas, elles seront toujours auprès de toi.

Les épaules d'Angelika se voûtèrent sous le poids de l'accablement. Même si sa cause était juste, elle avait malgré tout souillé son âme en parcourant des chemins enténébrés. Le tribut à payer était lourd de conséquences. La rédemption lui serait peut-être impossible.

— Garde espoir..., murmura la jeune femme avant de disparaître.

Angelika porta son regard vers la cabane. Il lui restait une tâche à accomplir avant d'en finir une bonne fois pour toutes avec cette sordide histoire.

Épilogue

Olivier sentit qu'on l'empoignait par les aisselles pour le traîner. À demi conscient, il vit des silhouettes indistinctes suivre leur progression. L'une de ses jambes cogna contre un tronc d'arbre, mais il ne réagit même pas.

— Ne vous avisez pas de crever! le menaça Angelika en s'en apercevant.

Elle était déjà responsable d'assez de morts comme ça. En sueur, elle le hissa tant bien que mal sur le siège arrière de sa voiture. Son loup ne pouvant lui être d'aucune aide, elle s'échina à installer le policier du mieux qu'elle put. Puis, à bout de souffle, elle prit place derrière le volant. Heureusement, le sergent avait laissé ses clés dans le contact au moment de quitter son véhicule. Après un bref coup d'œil dans le rétroviseur, elle démarra, puis s'engagea sur le chemin qui conduisait à la route principale. Plusieurs kilomètres plus loin, elle arrêta le moteur et saisit l'émetteur-récepteur de la radio accrochée au tableau de bord.

— Un agent touché par une arme à feu, déclara-t-elle en enfonçant le bouton. Envoyez d'urgence une ambulance sur la 381, à la jonction de la 138, en direction sud.

Des parasites suivirent son message, puis la voix de la standardiste du central résonna dans l'habitacle.

— Studio à l'écoute. Qui est là? s'informa la personne à l'autre bout.

— Ça n'a pas d'importance. Votre sergent mourra si vous ne vous exécutez pas immédiatement.

— Compris! Ils sont en route.

Angelika laissa retomber le micro, ne donnant aucune chance à la femme de poursuivre son interrogatoire. Sortant dehors, elle contourna le véhicule pour ouvrir l'une des portières arrière. Elle s'assura que le policier continuait d'effectuer une pression sur sa blessure afin d'éviter de se vider de son sang avant la venue de l'ambulance. Par mesure de prudence, elle appliqua un pansement de fortune autour de son épaule.

— Courage! Des secours seront là sous peu, chuchota-t-elle à son oreille avant de refermer.

Comme Olivier oscillait entre deux mondes, il ne vit pas Angelika rejoindre son loup en bordure de la route. La meute l'entoura alors que le vent faisait claquer les pans de sa cape. Elle demeura immobile, jusqu'à ce que le bruit d'une sirène lui parvienne au loin. L'homme serait sauvé, et c'était tout ce qui importait pour l'heure.

Elle se détourna à contrecœur, puis s'enfonça dans la forêt, silhouette diffuse parmi les ombres. Elle sortit de l'une des poches de sa jupe le paquet d'allumettes que lui avait donné la jeune femme d'allure gothique, la première fois qu'elles s'étaient rencontrées à l'auberge.

Elle craqua l'une d'elles, le visage empreint de gravité. Une flamme frêle jaillit, éclairant son chemin dans les ténèbres…

FIN

À propos de l'auteure

Sonia Alain est née à Matane, au Québec. À l'âge de 12 ans, elle a habité avec ses parents pendant quelques mois au Cameroun, en Afrique.

Elle a obtenu un certificat en éducation en milieu de garde à l'Université du Québec, à Montréal. Diplôme en main, elle a été pendant plusieurs années éducatrice dans un centre de la petite enfance, puis chargée de cours au collège Édouard-Montpetit, et finalement formatrice.

Elle est désormais auteure à temps plein et donne des conférences dans les bibliothèques. Elle est également chroniqueuse littéraire pour différents médias, et réviseure-correctrice pour les Éditions AdA.

En 2011, son roman *Le masque du gerfaut* fut parmi les finalistes pour le prix du premier roman francophone lors du Festival de Chambéry-Savoie, en France.

Page Facebook : Sonia Alain, auteure
Site Web : www.soniaalain.com.overblog.com
Instagram : @sonia_alain_auteure

DE LA MÊME AUTEURE

Annabel et Max, adultes consentants

Une soirée torride (nouvelle, dans un recueil)

Série *Les gardiens des portes*
Abbygaelle
Alicia
Amélie
Les Seigneurs des ténèbres

Série *D'amour et de haine*
Quand tout bascule
La trahison
Dans les affres de l'enfer (à venir)

Série *La dame de Knox*
Le masque
La tourmente
L'insoumission